CAHIER
D'EXERCICES

2

Catherine Flumian
Josiane Labascoule
Philippe Liria
Corinne Royer

Ce cahier d'exercices est basé sur une conception didactique et méthodologique de l'approche par les tâches en langues étrangères, développée par Ernesto Martín Peris, Pablo Martínez Gila et Neus Sans Baulenas.

CAHIER D'EXERCICES 2

Auteurs
Catherine Flumian
Josiane Labascoule
Philippe Liria
Corinne Royer

Édition
Eulàlia Mata Burgarolas

Conseil pédagogique
Agustín Garmendia

Correction
Christian Lause

Conception graphique
A2-Ivan Margot ; Cay Bertholdt

Couverture
A2-Ivan Margot ; illustration : Javier Andrada

Mise en page
Cay Bertholdt

Illustrations
Javier Andrada et David Revilla

Textes
Texte de Kheira Bettayed © *Phosphore*, Bayard Jeunesse, 2004 pour « Loup. Il n'a pas fini de faire hurler »
Texte de Laëtitia de Kerchove © *Phosphore*, Bayard Jeunesse, 2004 pour « Comment casser les ghettos ? »
Texte de Béatrice Girard © *Phosphore*, Bayard Jeunesse, 2004 pour « Location cinq formules béton »
Texte de François Descombe © *OKAPI*, Bayard Jeunesse, 2004 pour « La mode à tout prix »

Photographies et images
Toutes les photographies ont été réalisées par Marc Javierre Kohan sauf : Frank Kalero, p. 11 (Steven), p. 18, p. 22 (atelier vidéo) ; Frank Iren, p. 87 ; Stock Exchange, p. 97.

Enregistrements
Voix : Carine Bossuyt, Christian Lause, Pierrick Massaux (Belgique) ; Katia Coppola, Catherine Flumian, Philippe Liria, Corinne Royer, Jean-Paul Sigé (France) ; Valérie Veilleux (Québec) ; Sidi Seck Samardine (Sénégal).
Studio d'enregistrement : CYO Studios

ISBN édition internationale : 978-84-8443-174-9
       édition italienne : 978-88-6964-276-0
       édition allemande : 978-3-12-529135-5

Réimpression : octobre 2007

Dépôt légal : B-50.515-2004

Imprimé en Espagne par Tallers Gràfics Soler, S.A.

difusión
Français
Langue
Étrangère

C/ Trafalgar, 10, entlo. 1ª
08010 Barcelone (Espagne)
Tél. (+34) 93 268 03 00
Fax (+34) 93 310 33 40
fle@difusion.com

www.difusion.com

AVANT-PROPOS

Ce *Cahier d'exercices 2* est le complément indispensable du *Livre de l'élève 2* et permet à l'apprenant de consolider les connaissances et les compétences linguistiques acquises en classe. Les activités visent à renforcer le système linguistique (morphosyntaxe, lexique, orthographe, structures fonctionnelles, discursives et textuelles) étudié dans le *Livre de l'élève 2* sans perdre de vue les perspectives communicatives.

Comme pour le *Livre de l'élève 2*, nous avons voulu mettre en avant les démarches préconisées dans le *Cadre européen commun de référence pour les langues*. En effet, de nombreuses activités portent cet icone afin d'indiquer, d'une part, les activités d'auto-évaluation et de réflexion sur les stratégies d'apprentissage qui aideront l'apprenant à confectionner la « Biographie linguistique » et, d'autre part, les activités qu'il pourrait incorporer à son « Dossier du Portfolio ».

La structure du *Cahier d'exercices 2* a été conçue de manière à ce que l'apprenant réalise un travail personnel et qu'il mette en place des stratégies d'auto-apprentissage.

LES EXERCICES

Chaque unité de ce *Cahier* comporte un ensemble d'exercices, en contexte, indispensables à la consolidation des aspects formels abordés dans le *Livre de l'élève 2*.

Quant aux compétences développées, une importance toute particulière a été accordée à la compréhension orale et à l'expression écrite.

UNE PLACE POUR LA PHONÉTIQUE

Des exercices de discrimination phonétique et prosodique ont été introduits tout au long du *Cahier*. Ces exercices permettent de compléter et de renforcer les compétences phonétiques et prosodiques travaillées dans le *Cahier d'Exercices 1*. Il est conseillé de réaliser ces activités avec un professeur pour garantir une meilleure prononciation et une production orale plus correcte.

VOS STRATÉGIES POUR MIEUX APPRENDRE

Cette rubrique permet aux élèves de réaliser des activités d'apprentissage au cours desquelles ils expérimentent l'application de certaines stratégies utiles à l'acquisition et à la consolidation d'une langue, techniques qu'ils pourront appliquer pour aboutir à la maîtrise d'autres langues, y compris leur langue maternelle.

À la fin de ces activités, la fiche « Stratégie » propose une réflexion sur la compétence ou la stratégie que les apprenants ont utilisée.

AUTO-ÉVALUATION

Toutes les trois unités, nous proposons trois pages d'auto-évaluation qui permettront à l'apprenant de faire un bilan de ses acquis, essentiellement grammaticaux et lexicaux. L'apprenant trouvera, dans cette section, des exercices concernant des points bien précis de langue et d'autres combinant différents éléments étudiés en classe. Il sera amené à réfléchir à son propre processus d'apprentissage et aux difficultés qu'il a rencontrées. Il s'agit d'une auto-évaluation et, dans ce sens, c'est à l'apprenant de mesurer le degré de difficulté qu'il aura rencontré en faisant les exercices et de décider de revoir un point de langue en particulier.

LE DELF

Le Diplôme Élémentaire de Langue Française (DELF) est devenu une référence dans le monde entier pour certifier les connaissances des apprenants de français. Ce diplôme comprend actuellement deux degrés, le premier divisé en quatre modules (A1, A2, A3 et A4) et le deuxième en deux modules (A5 et A6). La mise en place des paramètres d'évaluation du *Cadre européen commun de référence pour les langues* a entraîné des modifications. Celles-ci entreront en vigueur en septembre 2005.

Il existe aussi une formule adressée aux plus jeunes, c'est le DELF Scolaire qui comprend deux niveaux.

Dans ce *Cahier d'exercices 2*, nous avons voulu prendre en compte ces considérations et vous proposer des activités permettant la préparation aussi bien aux DELF A3 et Scolaire niveau 2 qu'au nouveau DELF B1 qui reprend et simplifie les modules A3 et A4.

Ainsi, vous trouverez dans chaque unité une section DELF avec des conseils et des exercices d'entraînement pour que l'apprenant se présente à ces différentes épreuves... et les réussisse, bien évidemment !

En fin d'Unité 9, vous trouverez un descriptif de ces différents DELF et un tableau récapitulatif des activités proposées dans ce livre.

Pour suivre l'actualité du DELF, nous vous invitons à visiter notre site Internet : www.difusion.com

Enfin, comme dans le *Livre de l'élève 2*, nous avons voulu prendre en considération la réalité et la pluralité du monde francophone et faire de nombreux clins d'œil à des habitudes, des traditions, des lieux différents. De même, la langue utilisée dans les multiples activités de compréhension orale se veut le reflet de la diversité de la langue française tant par son lexique que par la chaleur de ses différents accents.

TABLE DES MATIÈRES

Unité 1
CHERCHE COLOCATAIRE

APPARTEMENT HAUT STANDING
150 m² + BALCON 25 m², CALME, ENSOLEILLÉ. 3 CHAMBRES (F3), GRANDE SALLE À MANGER, SALON, CUISINE, SALLE DE BAINS ET WC TOTALEMENT REFAITS À NEUF. CENTRE VILLE. LIBRE TOUT DE SUITE.

1. **A.** Complétez ces phrases avec des verbes au présent que vous accordez avec leurs sujets.

a. Les annonces qui nous ┃intéressent┃ (**intéresser**) sont à la fin du journal.

b. Si cet appartement vous .... (**plaire**), prenez-le !

c. Si le bruit vous .... (**gêner**) pour dormir, ne prenez pas ce studio !

d. Le propriétaire va vous louer l'appart, si vous lui .... (**plaire**).

e. Les fêtes que font ses voisins la .... (**déranger**).

f. Les fuites d'eau et la mauvaise isolation sont les problèmes qui nous .... (**énerver**) le plus dans ce logement.

g. Ces histoires d'appart, ça m' .... (**irriter**) à un point inimaginable !

h. J'ai visité deux appartements qui me .... (**plaire**) vraiment beaucoup.

i. Les choses qui me .... (**plaire**) dans cet appart, c'est sa luminosité et le silence.

j. Moi, les gens qui mettent la musique trop fort, ça m' .... (**agacer**).

B. Avez-vous remarqué comment s'accordent tous ces verbes ?
À partir de vos observations, complétez le tableau suivant.

SUJET SINGULIER		VERBES
2.		
3.		
4.		
SUJET PLURIEL		
1.	Les annonces	nous intéressent
5.		
6.		
7.		
8.		
9.		
10.		

2. Répondez en utilisant **plutôt** comme dans l'exemple.

> ● Il est jeune, ce prof.
> ○ Moi, je le trouve <u>plutôt âgé</u>.

a. ● Elle est assez grosse, non ?
○ Tu crois ? Je la trouve ....

b. ● Ton nouveau voisin a l'air super sympa
○ Hum, je le trouve ....

c. ● Montréal n'est pas mal, mais je préfère ....

d. ● On m'a dit que ce film est excellent.
○ Bof, je l'ai trouvé ....

e. ● Ce menu a l'air très bon.
○ Moi, je le trouve ....

f. ● Paris a l'air assez calme.
○ En août, peut-être, mais le reste
de l'année, je la trouve ....

g. ● Cette chanson est triste.
○ Ah bon ? Moi, je la trouve ....

h. ● Ma femme adore les chiens, moi, je préfère

....

3. Deux amies parlent de leurs colocataires respectifs. Complétez leur petit dialogue à l'aide des verbes ci-dessous. Attention ! Vous ne pouvez pas utiliser plus d'une fois un même verbe.

énerver • **supporter** • **aimer** • **gêner** • **préférer** • **adorer** • **déranger** • **trouver** • **avoir l'air de** • **agacer** • **plaire**

● Tu vois, ce qui m' .... chez Sylvain, c'est son désordre. Je ne .... pas ça.

○ Tu exagères peut-être, non ? Il .... pas beaucoup le rangement, mais ça ne te .... pas trop,

je pense, parce que ça se limite à sa chambre. Moi, je suis encore plus désordonnée. Dans l'appart, avec Mathieu,

on s'entend plutôt bien même si je .... Thomas mais...

● Mathieu ? Ah, je le .... super sympa, moi. J' .... son humour. En plus, il a l'air très

débrouillard. Il me plaît bien ce type.

○ Ouais, mais sa fumée me .... !

● Dis-lui que s'il veut fumer, il doit rester dans sa chambre.

○ C'est pareil. Et puis ce n'est pas que la fumée, l'odeur du tabac et même la vue de ses paquets m' ....

4. **A.** Placez ces verbes dans le tableau ci-dessous en fonction du nombre de bases phonétiques de chacun.

se plaindre courir boire découvrir grossir peindre servir pouvoir habiter devoir lire venir écrire prendre recevoir remettre se lever rejoindre travailler vouloir

VERBES À UNE BASE	VERBES À DEUX BASES	VERBES À TROIS BASES

B. À présent, conjuguez-les dans les phrases suivantes.

a. Mes amis .... (**boire**) beaucoup de boissons gazeuses. Moi, je .... (**boire**) plutôt des jus de fruits naturels.

b. Nous .... (**courir**) toute la journée.

c. Vous .... (**découvrir**) la ville en allant à l'université à pied.

d. Les bus .... (**desservir**) très bien les quartiers éloignés.

e. Vous .... (**devoir**) prendre la ligne 5 et moi, je .... (**devoir**) prendre la 7.

f. Jean-Luc et Cathy nous .... (**écrire**) des emails.

g. Cette ville .... (**grossir**) énormément avec sa nouvelle faculté.

h. Les Jossic .... (**habiter**) près de la place centrale.

i. Nous .... (**lire**) la presse tous les jours.

j. Je .... (**peindre**) ma chambre en blanc et mes colocs la .... (**peindre**) en vert !

k. Pour aller à la fac, tu .... (**pouvoir**) prendre le bus ou alors, nous .... (**pouvoir**) aller ensemble en métro.

l. ● Qu'est-ce que vous .... (**prendre**).
○ Moi, je .... (**prendre**) un café-crème.

m. Je .... (**recevoir**) une lettre de temps en temps mais eux, ils en .... (**recevoir**) tous les jours !

n. Les gars nous .... (**rejoindre**) au café à 18 heures.

o. Ils .... (**remettre**) leur clé le 19 et moi, je la .... (**remettre**) le 22.

p. À quelle heure elle .... (**se lever**) pour aller à la fac ?

q. Les voisins .... (**se plaindre**) systématiquement du bruit sauf le monsieur du troisième qui ne .... (**se plaindre**) jamais.

r. Vous .... (**travailler**) dans le centre ?

s. Tous les matins elle .... (**venir**) en bus ; et vous, vous .... (**venir**) comment ?

t. Nous .... (**vouloir**) aller au ciné et elles, elles .... (**vouloir**) aller en boîte.

 C. Écoutez et indiquez si les formes verbales que vous entendez sont au singulier, au pluriel ou si on ne sait pas.

	SINGULIER	PLURIEL	ON NE SAIT PAS
1.			
2.			
3.			
4.			
5.			
6.			
7.			
8.			
9.			
10.			

5. Amélie vient de s'installer dans l'appartement qu'elle va partager pendant six mois avec deux autres étudiantes. Au bout d'une semaine de colocation, elle écrit à un ami. Conjuguez au présent les verbes entre parenthèses.

Salut Xavier,

Me voilà à Barcelone ! C'est trop cool. Pour le moment, tout .... (**se passer**) plutôt bien. Les gens .... (**être**) plutôt sympas et puis c'est la fête toute la nuit ! Je .... (**connaître**) déjà plein de monde des quatre coins de la planète. Je .... (**croire**) que je .... (**se débrouiller**) assez bien en espagnol sinon on .... (**parler**) anglais. Je .... (**commencer**) même à dire quelques mots en catalan avec une de mes colocs, Laia. Elle est de Barcelone, mais elle .... (**préférer**) partager un appart que de supporter ses parents. Elle .... (**faire**) du droit. En plus, elle .... (**adorer**) le ska et le rap et avec son copain, ils .... (**vouloir**) me montrer les quartiers un peu alternatifs de la ville. L'autre nana, c'est Susi. Elle .... (**avoir**) l'air cool aussi mais elle .... (**ne pas rire**) beaucoup, et pour le moment, on .... (**ne pas causer**) trop. Elle s' .... (**s'enfermer**) dans sa chambre avec son copain et ils .... (**mettre**) la musique très fort, ça m'.................... (**énerver**) un peu, mais j'.................... (**attendre**) et puis, je ne .... (**savoir**) pas si c'est parce qu'elle .... (**venir**) du sud ou quoi, mais je .... (**ne presque rien comprendre**) quand elle me .... (**dire**) quelque chose. Bon, je te .... (**laisser**) et .... (**espérer**) te voir bientôt (il y a des vols pas chers maintenant).

Bises
Amélie

LEXIQUE :
- **Plein de** = beaucoup de
- **coloc** = colocation, colocataire
- **appart** = appartement
- **nana** = fille
- **causer** = parler

6. Michael part en vacances et veut laisser une liste à ses colocataires avec différentes choses qu'ils doivent ou peuvent faire pendant ce temps-là. Aidez-le à la rédiger en utilisant l'impératif.

.... (**ne pas avoir**) peur les gars, c'est juste une petite liste de deux ou trois choses à faire pendant que je suis à L.A.
- .... (**se servir**) dans le frigo avant que ce soit périmé !
- .... (**arroser**) ma plante verte. .... (**ne pas la laisser**) mourir ! Merci.
- Si on m'appelle, ... (**dire**) que je reviens le 24.
- Pour la facture de gaz, ... (**prendre**) l'argent qui est sur la table de nuit.
- .... (**être**) cools : .... (**ne pas entrer**) avec votre cigarette dans ma chambre.

LOÏC : si tu peux, ... (**aller**) au vidéo-club et .... (**rapporter**) le DVD qui est à côté de la télé, j'ai complètement oublié de le rendre et .... (**se rappeler**) de venir me chercher à l'aéroport le 24 !!

PATRICK : .... (**dire**) à ta copine Julie que c'est bon pour la soirée du 25.

Merci encore et bonnes vacances !!!

Michael

7. Écoutez le dialogue entre ces deux amis. Tracez sur le plan le chemin que doit suivre Robert pour se rendre à la fête qu'organise Catherine.

8. Retrouvez l'adjectif interrogatif qui convient.

a. *Quel* temps fait-il dans ta ville ?

b. .... est le meilleur moyen de transport ?

c. .... sont les prix des loyers ?

d. .... conditions faut-il remplir pour louer un appartement ?

e. .... sortie de métro est-ce que je dois prendre pour arriver chez toi ?

f. .... est le prix du billet de métro ?

g. À .... numéro je peux te joindre à mon arrivée ?

h. .... vêtements me conseilles-tu de mettre dans ma valise ?

i. .... est ton adresse exacte ?

j. Vers .... heure on peut se donner rendez-vous ?

9. Voici un questionnaire sur le texte « Les franciliens restent à la maison », du *Livre de l'élève 2* (pages 14 et 15). À partir du texte et des réponses fournies, retrouvez les éléments interrogatifs manquants.

Introduction

1. .... les jeunes restent de plus en plus chez leurs parents ?
   Oui.

2. .... région ce phénomène se produit-il le plus ?
   En région parisienne.

3. .... les jeunes d'Île-de-France restent-ils de plus en plus chez leurs parents ?
   Parce que les universités ne sont pas loin.

4. Selon le texte, ... préfère quitter la maison le plus tôt possible ?
   Les filles.

5. .... de kilomètres de chez leurs parents les jeunes s'installent-ils ?
   Ils s'installent à moins de 5 km.

6. .... les jeunes de 25-29 ans qui vivent chez leurs parents sont chômeurs ?
   Non, souvent ils ont un métier.

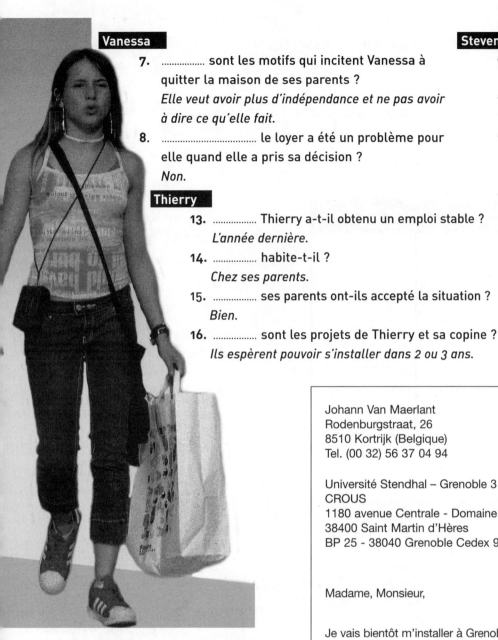

Vanessa

7. .... sont les motifs qui incitent Vanessa à quitter la maison de ses parents ?
Elle veut avoir plus d'indépendance et ne pas avoir à dire ce qu'elle fait.

8. .... le loyer a été un problème pour elle quand elle a pris sa décision ?
Non.

Thierry

13. .... Thierry a-t-il obtenu un emploi stable ?
L'année dernière.

14. .... habite-t-il ?
Chez ses parents.

15. .... ses parents ont-ils accepté la situation ?
Bien.

16. .... sont les projets de Thierry et sa copine ?
Ils espèrent pouvoir s'installer dans 2 ou 3 ans.

Steven

9. .... profession exerce Steven ?
Il travaille dans une agence d'intérim.

10. .... il gagne bien sa vie ?
Non.

11. .... part de son salaire consacre-t-il à son loyer ?
Il lui consacre entre 35 et 45% de son salaire.

12. .... se retrouve-t-il le week-end ?
Ses amis d'enfance.

10. **A.** Retrouvez la place de ces verbes dans la lettre de Johann et conjuguez-les au conditionnel.

- **disposer**
- **falloir**
- **pouvoir** (2 fois)
- **proposer**
- **souhaiter**
- **vouloir**

Johann Van Maerlant
Rodenburgstraat, 26
8510 Kortrijk (Belgique)
Tel. (00 32) 56 37 04 94

Université Stendhal – Grenoble 3
CROUS
1180 avenue Centrale - Domaine Universitaire
38400 Saint Martin d'Hères
BP 25 - 38040 Grenoble Cedex 9

Kortrijk, le 12 juillet 2004

Madame, Monsieur,

Je vais bientôt m'installer à Grenoble pour y finir mes études de lettres. Ne souhaitant pas résider en cité universitaire, je .... recevoir des renseignements sur les autres possibilités de logement. .... vous m'envoyer plus particulièrement des adresses d'organismes ou de particuliers qui .... des chambres dans des appartements en colocation ? J'ai aussi entendu parler de studio en foyer de jeunes travailleurs. .... vous d'informations à ce sujet et vous serait-il possible de me les faire parvenir ?

Finalement, je .... connaître les aides sociales auxquelles je .... éventuellement avoir accès en tant qu'étudiant ou le nom de l'organisme auquel il .... que je m'adresse pour faire une demande de dossier.

Dans l'attente de votre réponse, je vous prie d'agréer, Madame, Monsieur, mes meilleures salutations.

Johann Van Maerlant

B. Au conditionnel, c'est la forme de la racine qui indique si le verbe est irrégulier.

pouvoir	je **pourr-**	-ais
vouloir	je **voudr-**	-ais
pouvoir	vous **pourr-**	-iez
falloir	il **faudr-**	-ait

Les connaissez-vous tous ?

INFINITIF	PRONOM PERSONNEL	RACINE	DÉSINENCE
venir	je		
aller	tu		
mourir	il		
courir	elle		
faire	on		
être	nous		
avoir	vous		
savoir	ils		
devoir	elles		

11. **A.** Hans Müller a obtenu une bourse universitaire pour partir six mois à Mons, en Belgique. Il a écrit à l'Université de Mons-Hainaut pour se renseigner sur les possibilités de logement dans cette ville. Voici la réponse des services sociaux de l'université. À partir de leur courrier, retrouvez les questions que Hans a posées.

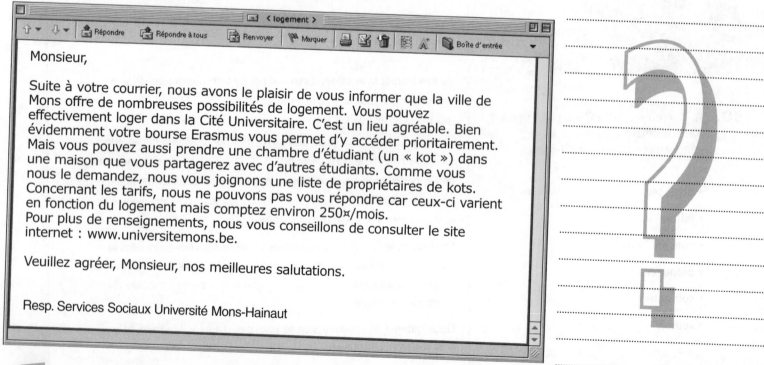

Monsieur,

Suite à votre courrier, nous avons le plaisir de vous informer que la ville de Mons offre de nombreuses possibilités de logement. Vous pouvez effectivement loger dans la Cité Universitaire. C'est un lieu agréable. Bien évidemment votre bourse Erasmus vous permet d'y accéder prioritairement. Mais vous pouvez aussi prendre une chambre d'étudiant (un « kot ») dans une maison que vous partagerez avec d'autres étudiants. Comme vous nous le demandez, nous vous joignons une liste de propriétaires de kots. Concernant les tarifs, nous ne pouvons pas vous répondre car ceux-ci varient en fonction du logement mais comptez environ 250¤/mois. Pour plus de renseignements, nous vous conseillons de consulter le site internet : www.universitemons.be.

Veuillez agréer, Monsieur, nos meilleures salutations.

Resp. Services Sociaux Université Mons-Hainaut

B. À présent, écrivez la lettre de Hans (vous pouvez vous inspirer du modèle de lettre de l'Activité 10 A).

12. **A.** Comme dans l'exemple, marquez l'intensité et complétez la phrase avec **si** et/ou **tellement**.

> ● Il est très difficile cet exercice.
> ○ Oui, il est *tellement* / *si* difficile que je n'arrive pas à le faire.

a. ● Ma sœur est très contente. ——▶ ○ Oui, elle est .... contente qu'elle pleure de joie.

b. ● Mon professeur est très triste. ——▶ ○ Non, il n'est pas .... triste que ça.

c. ● Il fait très froid. ——▶ ○ Oui, il fait .... froid que nous avons mis un pull.

d. ● Gilles joue bien au tennis. ——▶ ○ Oui, il joue .... bien qu'il a été sélectionné
pour le championnat.

e. ● Laure est bonne en maths. ——▶ ○ Oui, elle est .... qu'elle n'a pas besoin d'étudier.

B. Pour marquer l'intensité, vous pouvez aussi utiliser **qu'est-ce que**.
Reprenez les 5 phrases ci-dessus en les modifiant selon l'exemple.

> Il est très difficile, cet exercice. *Qu'est-ce qu'il est difficile !*

13. En suivant le modèle des offres de
colocation des pages 6 et 7 du *Livre de l'élève 2*,
laissez votre annonce sur ce site d'Internet.

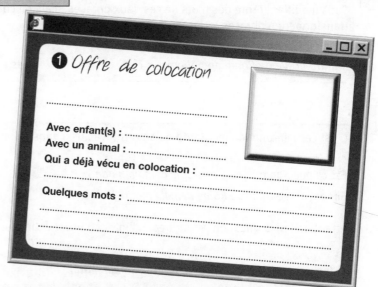

❶ *Offre de colocation*

....

Avec enfant(s) : ....

Avec un animal : ....

Qui a déjà vécu en colocation : ....

Quelques mots : ....
....
....
....

14. **A.** Écoutez ces quatre témoignages sur
la colocation et remplissez le tableau.

	PIÈCES CITÉES	NOMBRE DE CHAMBRES	INCONVÉNIENT(S)	AVANTAGE(S)
1				
2				
3				
4				

B. Et vous ? Habitez-vous en colocation, en famille ou seul/e ? Comment est ce logement ? Qu'a-t-il ou que n'a-t-il pas ?

	PIÈCES	NOMBRE DE CHAMBRES	INCONVÉNIENT(S)	AVANTAGE(S)
MOI				

15. A. Savez-vous reconnaître l'intonation d'une question ? Et celle d'une affirmation ? Écoutez.

Quand vous faites une affirmation, l'intonation de votre phrase est descendante en fin de phrase :

Sandra arrive de Rome demain matin.   *Les voisins de Christian sont sympathiques.*

B. Écoutez.

Sans modifier l'ordre des mots de ces deux phrases, mais en changeant leur intonation, vous pouvez les transformer en phrases interrogatives :

Sandra arrive de Rome demain matin ?   *Les voisins de Christian sont sympathiques ?*

C. Écoutez.

C'est cette intonation montante qu'on retrouve aussi dans les autres formes de questionnement :

Est-ce que Sandra arrive de Rome demain matin ?   *Est-ce que les voisins de Christian sont sympas ?*
Sandra arrive-t-elle de Rome demain matin ?   *Les voisins de Christian sont-ils sympas ?*

Attention ! Si la question est indirecte, l'intonation est celle de la phrase affirmative.

Il demande si Sandra arrive de Rome demain matin.

Pour vous entraîner à bien reproduire ces intonations, vous pouvez le faire sans rien dire et en remplaçant les mots par un **la, la, la**.

D. À votre tour, écoutez les phrases suivantes. Mettez un point s'il s'agit d'une affirmation ou un point d'interrogation s'il s'agit d'une question.

1	Il a payé son loyer	6	Pierre et Fatiha ont refait la peinture de l'appart
2	C'est difficile de trouver un logement bon marché	7	Tu habites ici
3	Patrick a un colocataire super sympa	8	Les étudiants peuvent demander une allocation
4	Tu connais les nouveaux voisins	9	Elle déménage dimanche prochain
5	Elle partage son appart avec une amie d'enfance	10	Les voisins de Judith sont anglais

16. **A.** À quoi vous font penser ces mots ?

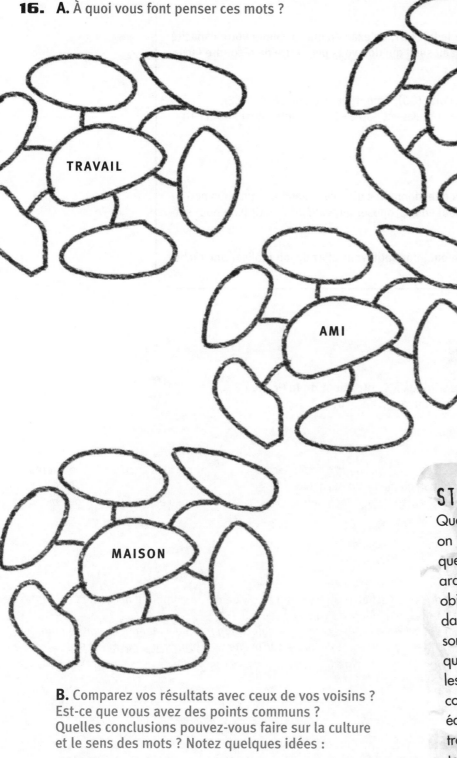

B. Comparez vos résultats avec ceux de vos voisins ?
Est-ce que vous avez des points communs ?
Quelles conclusions pouvez-vous faire sur la culture
et le sens des mots ? Notez quelques idées :

....

....

....

....

....

....

STRATÉGIE

Quand en français on dit **pain**, par exemple, on ne veut pas vraiment dire la même chose que quand en allemand on dit **Brot** ou en arabe **khobs**. Chaque société donne aux objets des valeurs différentes, elle les utilise dans des conditions ou des situations qui ne sont pas toujours identiques. Même l'image qu'elle en a n'est pas la même ! C'est pourquoi les mots que nous utilisons sont chargés de connotations culturelles. Par conséquent, les équivalents et les descriptions des mots qu'on trouve dans un dictionnaire sont très utiles pour tous ceux ou toutes celles qui étudient des langues étrangères, mais ils sont parfois insuffisants : nous ne pourrons vraiment dire que **nous avons appris** un mot que si, en plus de savoir quand et comment l'employer, nous sommes capables de reconnaître les références culturelles qu'il englobe.

Entraînons-nous au DELF

LE DELF B1

Au long de ce *Cahier d'exercices*, nous allons préparer le DELF B1, un examen qui va valider votre capacité à utiliser la langue de façon indépendante. C'est le niveau seuil qui doit vous permettre de résoudre facilement les problèmes de la vie quotidienne.

Il y a quatre épreuves différentes : Compréhension de l'oral (CO), Compréhension des écrits (CE), Production écrite (PE) et Production orale (PO). Chaque épreuve est notée sur 25 points, ainsi le DELF B1 est noté sur 100 points.

Compréhension des écrits

Vous allez lire des documents et vous allez remplir des questionnaires d'analyse générale qui vous permettront de réaliser une tâche. Dans cette partie, on peut vous proposer un texte informatif (Lire pour s'informer) ou un texte orientatif (Lire pour s'orienter).

Lire pour s'orienter : À partir de la lecture d'un document informatif, vous allez devoir réaliser une tâche, faire un choix, proposer une solution...

17. Lisez l'article suivant.

LOCATIONS, CINQ FORMULES BÉTON

**Vous avez décroché une école ou un lycée prestigieux à l'autre bout de la France ?
Bref, il est temps de vous mettre en quête d'un nouveau chez-vous.**

Appart en solo

Pour le pire et le meilleur !
Là, c'est la jungle ! Il va falloir traquer les annonces dans les journaux gratuits locaux ou passer par des agences immobilières [...]. Quelques endroits sont connus dans des lieux d'affichage incontournables [...].
À visiter : le site internet www.mapiaule.fr. On y trouve notamment des petites annonces, des conseils juridiques et des aides au logement.

Appart en colocation

Plus on est de fous, moins on paie !
100 m² à se partager de l'espace, un appartement qui a du cachet et un loyer qui se divise par le nombre d'occupants [...]. L'expérience peut être formidable à condition de bien sélectionner ses colocataires [...].
Pour dénicher les colocs de rêve qui vont avec un appart de rêve, allez sur www.colocation.fr (75 000 annonces par semaine). Il est également possible d'organiser des rencontres entre futurs colocataires sur le site www.appartager.com (20 000 annonces à consulter gratuitement en ligne).

Résidence privée

Tous mes voisins sont étudiants !
Elle se situe entre l'appart classique et le foyer. Les studios sont souvent meublés, et la résidence équipée de petits services [...]. Le tout dans un environnement totalement étudiant [...]. Il faut savoir que les tarifs varient selon les villes. Comptez 430 € à Paris, et de 250 € à 300 € en province.
Coordonnées, prix, visite virtuelle et contacts pour la réservation en résidence privée sur www.adele.org

Cité universitaire

Des murs aussi minces que le loyer !
Évidemment, pour le confort, c'est pas tout à fait comme à la maison : 9 m² en tout ! [...] Le problème, c'est qu'il n'y en a pas pour tout le monde : seulement 15 000 logements en cité U pour tout l'Hexagone. L'admission se fait sur critères sociaux.
Renseignements sur www.cnous.fr

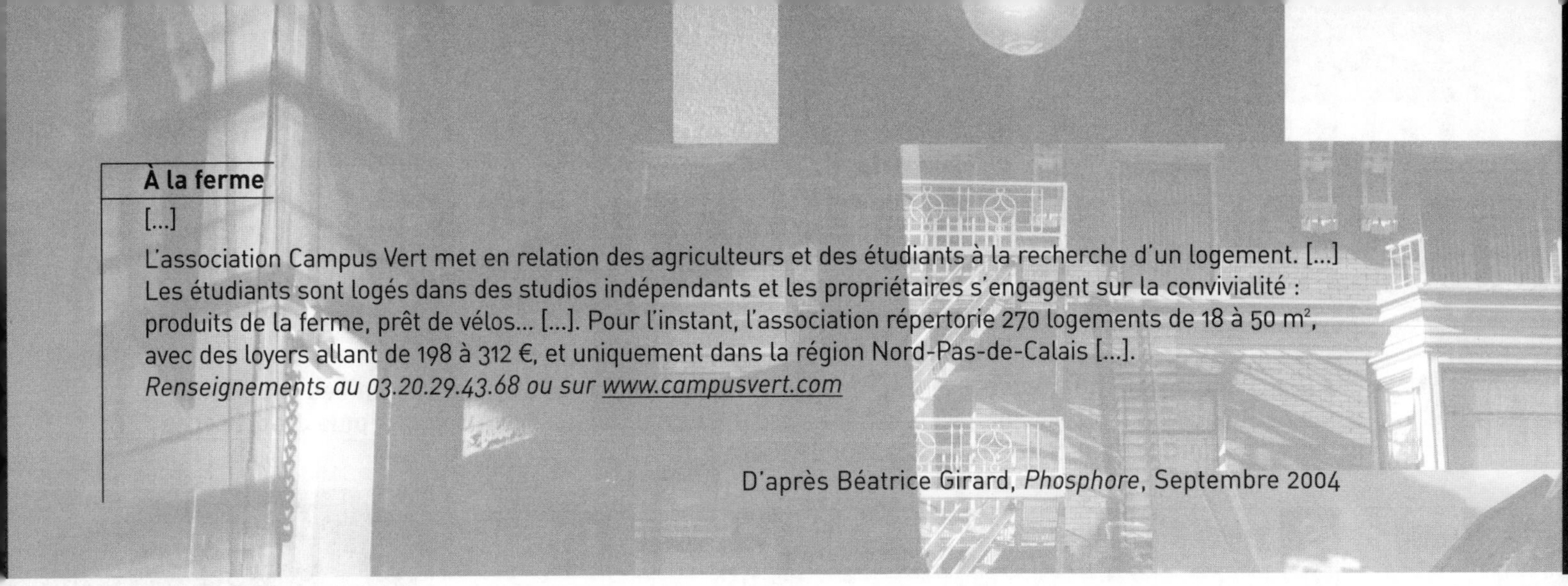

À la ferme

[...]

L'association Campus Vert met en relation des agriculteurs et des étudiants à la recherche d'un logement. [...] Les étudiants sont logés dans des studios indépendants et les propriétaires s'engagent sur la convivialité : produits de la ferme, prêt de vélos... [...]. Pour l'instant, l'association répertorie 270 logements de 18 à 50 m², avec des loyers allant de 198 à 312 €, et uniquement dans la région Nord-Pas-de-Calais [...].
Renseignements au 03.20.29.43.68 ou sur www.campusvert.com

D'après Béatrice Girard, *Phosphore*, Septembre 2004

18. Cochez dans le tableau la réponse correcte, et justifiez-la en citant le/s passage/s précis du texte.

		VRAI	FAUX	JUSTIFICATION
a.	Si on est seul, c'est vraiment facile de trouver un appartement.			
b.	La colocation est forcément une mauvaise idée.			
c.	Il n'y a que des étudiants dans les résidences privées.			
d.	En France, les chambres en cité U sont confortables et nombreuses.			
e.	Le loyer des cités U est cher.			
f.	Les propriétaires mettent en valeur les avantages de la vie à la campagne.			

19. A. Une de vos amie doit venir étudier à Lyon en Erasmus. Elle vous a demandé de lui trouver un logement. Elle aimerait plutôt résider à la campagne, parce qu'il y a plus d'espace qu'en ville. Elle préfère vivre seule, mais aime aussi pouvoir partager certains moments avec d'autres étudiants. Finalement, elle ne veut pas payer plus de 350,00€ par mois. À partir des textes ci-dessus et de ces informations, complétez ce tableau.

	APPART EN SOLO		APPART EN COLOCATION		RÉSIDENCE PRIVÉE		CITÉ UNIVERSITAIRE		À LA FERME	
CRITÈRES	Convient	Ne convient pas	Convient	Ne convient pas	Convient	Ne convient pas	Convient	Ne convient pas	Convient	Ne convient pas
Campagne										
Spacieux										
Possibilité de vivre seule										
Tarif de location										
Localisation										

B. À partir des informations obtenues, quelle formule conseillez-vous à votre amie ?

Unité 2
SI ON ALLAIT AU THÉÂTRE ?

 1. Jackie est une étudiante très active, regardez toutes les activités qu'elle a programmées pour cette semaine. Écoutez l'interview de Jackie réalisée par le journal universitaire *Campus* puis associez ces activités au jour de la semaine qui correspond.

8 Lundi	**9** Mardi	**10** Mercredi	**11** Jeudi	**12** Vendredi	**13** Samedi
8	8	8	8	8	
9	9	9	9	9	
10	10	10	10	10	
11	11	11	11	11	
12	12	12	12	12	
13	13	13	13	13	
14	14	14	14	14	**14** Dimanche
15	15	15	15	15	
16	16	16	16	16	
17 Cours de	17	17	17	17	
18 Chi-kung	18	18	18	18	
19	19	19	19	19	
20	20	20	20	20	
21	21	21	21	21	

A Soirée avec son petit copain. **B** Sortie à la patinoire. **C** Visite d'une expo d'art contemporain.

D Réunion à l'association « Clowns sans Frontières ». **E** Répétitions avec le groupe de rock. **I** Cours de Chi-kung.

F Atelier de théâtre avec la troupe universitaire. **G** Soirée discothèque. **H** Randonnée à pied.

2. Finissez de rédiger l'article dans lequel vous rendez compte de l'emploi du temps de cette étudiante.

JOURNAL CAMPUS

UNE ÉTUDIANTE HORS DU COMMUN : JACKIE LECRAQUE

Nous avons interviewé la responsable de la troupe de théâtre universitaire Les claquettes, Jackie Lecraque, étudiante en Musicologie qui a bien voulu nous faire part de son emploi du temps.

Jackie est une personne exceptionnelle, cette semaine par exemple, elle est occupée tous les soirs :
lundi soir, Jackie,...
mardi après-midi, elle ....

....

....

....

3. Parmi toutes les activités ci-dessous, quelles sont vos activités ? Quand les pratiquez-vous ?
Avec quelle fréquence ?

tous les jours ♦ tous les matins ♦ tous les soirs ♦ toutes les après-midi ♦ le mardi, le samedi
♦ le dimanche matin ♦ le dimanche après-midi ♦ quelquefois ♦ jamais ♦ pratiquement jamais ♦ souvent

- faire du sport, s'entraîner au football, au handball ;
  faire du tai-chi, du ski, de la marche...
- aller dans un club de gym
- faire du vélo
- assister à un cours
- aller voir un spectacle (au théâtre, au cinéma, à l'opéra)
- aller prendre un verre
- regarder la télévision
- regarder un DVD, une vidéo
- aller à la piscine
- aller à la patinoire
- aller au sauna
- faire du zapping
- rester à ne rien faire

- chater
- surfer sur Internet
- lire un livre, une bande dessinée, une revue
- aller en boîte
- aller au restaurant
- se promener en forêt, à la mer, en montagne,
  à la campagne
- faire du footing
- aller voir des expos ou des salons
- sortir avec des amis
- faire du parachutisme
- faire une soirée jeu de rôle
- ...

> Tous les mardis, je vais à l'entraînement de basket. Le samedi matin, en général, je vais à la piscine.
> Le samedi soir, je vais au ciné ou en boîte avec des amis.

....

....

....

....

....

....

4. À quel domaine associez-vous ces mots ? Regroupez-les sous chacune des rubriques.
Certains peuvent appartenir à plusieurs rubriques.

un match	courir	un réalisateur	la salle	une sculpture	une peinture
un rôle	une équipe	un acteur	marquer un but	le DJ	le rythme
un record	un champion	un stade	visiter	la musique	jouer
un film	l'ambiance	répéter	un terrain	les mouvements	les couleurs
un tableau	boire un coup	un bar	danser	les pièces	amusant

LE CINÉMA	LES MUSÉES	LE SPORT	LES DISCOTHÈQUES

5. Écoutez ces personnes qui parlent de ce qu'elles ont fait. De quoi parlent-elles ?
Leurs jugements sont-ils positifs ou négatifs ?

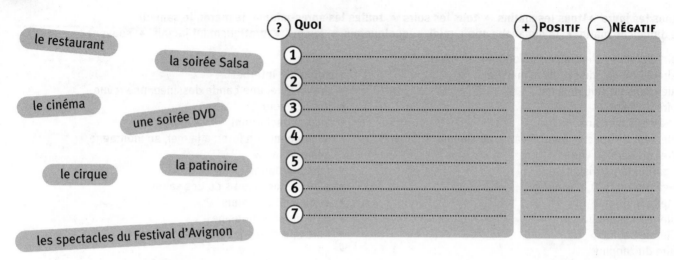

? QUOI	+ POSITIF	− NÉGATIF
①		
②		
③		
④		
⑤		
⑥		
⑦		

le restaurant

la soirée Salsa

le cinéma

une soirée DVD

le cirque

la patinoire

les spectacles du Festival d'Avignon

6. Et toi, as-tu pratiqué certaines activités citées dans l'exercice 3 ? C'était quand,
la dernière fois ? Aide-toi des expressions encadrées ci-dessous pour décrire ton
expérience.

J'adore / Je déteste...

C'était génial / super / super chouette / super bien / super génial.

C'était **vachement** sympa / émouvant / passionnant /
enrichissant / intéressant / amusant.

C'était **vraiment** très bien, très beau.

C'était **carrément** nul /ennuyeux / débile.

C'était **drôlement** bien.

Il y avait plein de ...

● Quand j'ai fait du ski dans les Alpes, c'était super.
○ Je suis allé voir Matrix au ciné, j'ai adoré il y avait plein
d'effets spéciaux carrément géniaux.

7. **A.** Écoutez ces personnes parler, de quoi parlent-elles ?

UNE RÉPÉTITION DE THÉÂTRE	UN JEU DE RÔLE	UN ATELIER DE TAI CHI	UN SPECTACLE DE DANSE	UNE DISCOTHÈQUE

B. Réécoutez les dialogues : ces personnes sont contentes ou pas ? Notez leurs opinions.

DIALOGUE	OPINION
1	Elle est satisfaite parce qu'elle a ....
2	
3	
4	
5	

8. **A.** Lisez cette lettre qu'écrit Judith à son amie Lucie. Quelles expressions utilise-t-elle pour exprimer ses désirs ?

....

....

....

....

....

....

....

B. Et vous, avez-vous envie de changer votre routine ? Qu'aimeriez-vous changer dans votre vie ?

> Moi, en ce moment j'ai envie de... J'aimerais...

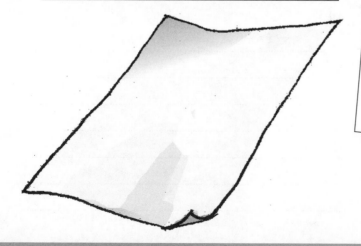

> Salut Lucie,   Paris, le 10.2.2004
>
> Comment ça va ? Moi je suis fatiguée de travailler comme une folle. J'ai envie de voyager autour du monde, peut-être que je vais prendre une année sabbatique. J'aimerais tellement suivre des cours de batterie et me remettre à étudier par correspondance l'histoire de l'art ! Oui, j'ai envie de profiter de la vie, parce que pour l'instant je ne vois pas les journées passer. Je n'ai pas envie de continuer à vivre dans le stress continuel et c'est pour ça que je pense partir un an au Mexique. Je vais chercher un job pour vivre, j'aimerais par exemple donner des cours de français. Tu vois, je suis en pleine crise. Et toi, qu'est-ce que tu deviens ? Je t'embrasse,
>
> Judith

9. Lisez les propositions de loisirs suivantes. Ça vous dirait d'aller voir, de faire quoi ce week-end ? Pourquoi ?

Le MELO présente : **LES SARTOT**

DUO COMIQUE ANTI STRESS

« Un spectacle comique, vous allez rire, ils se moquent de tout » Le Parisien

Jeudi 5, vendredi 6, samedi 7 à 20 h 45 au théâtre du MELO

atelier vidéo

À St Gely, week-end réalisation d'un court-métrage avec FRED ASTIC, réalisateur audiovisuel

280 euros
+ cotisation 30 euros

Tél. 04 67 66 69 691

24ᵉ salon MAHANA

457 exposants se donnent rendez-vous au salon : agences de voyages, guides, cuisiniers, transporteurs, etc.

VENEZ AU SALON DU TOURISME ! CHOISISSEZ VOTRE DESTINATION !

8, 9, 10
Halle Tony Trapier
www.salmahama.com

WEEK-END JEUX DE RÔLE

AVEC DANY ET PAQUI VOUS ALLEZ VIVRE UNE VÉRITABLE AVENTURE ! LE MAÎTRE DU DONJON CRÉE UN SCÉNARIO OU UNE HISTOIRE QU'IL VA FAIRE VIVRE À SES JOUEURS. ET VOUS ALLEZ CRÉER VOS PROPRES PERSONNAGES DANS UNE AMBIANCE MÉDIÉVALE OU FANTASTIQUE.

TÉL. : 31-94 28 47
SAMEDI ET DIMANCHE
11 ET 12 À 10 H

10, RUE DU PARQUET, CAEN.
PARTICIPATION : 15 EUROS

Ce week-end, ça me dirait d'aller suivre un atelier vidéo, parce que je voudrais apprendre à faire des courts-métrages.

....
....
....
....
....
....

10. Hélène et Frédéric se donnent rendez-vous au téléphone pour aller au cinéma.
Remettez dans l'ordre les réponses de Frédéric.

(1) Salut Frédo ! Ça va ?

(2) Ça va bien merci. Dis... ça te dirait d'aller au ciné demain soir ?

(3) Ben, j'sais pas, si on allait voir une comédie, quelque chose d'amusant, parce que je n'ai pas envie de réfléchir.

(4) Ah oui ? Je n'en ai pas entendu parler, mais si ça te dit... pourquoi pas ? C'est amusant ?

(5) Ben... tant mieux si c'est léger ! C'est exactement ce qu'il me faut.

(6) Oh, à la séance de 8 heures, non ?

(7) Parfait, au Trisoir, c'est à côté de chez moi, c'est bien au coin de la rue du Range ?

(8) Dis, on pourrait se donner rendez-vous au bar un peu avant, comme ça on prend quelque chose ensemble, non ?

(9) Ok, rendez-vous à 19 h 30 au Ricou.

(10) À demain !

○ Ben ouais, ça me dirait bien. Pourquoi ? Tu voudrais voir quoi ?

○ D'accord, on se donne rendez-vous à 7 heures et demie au Ricou ?

○ Ça va. Et toi ?

○ Oui, je crois, en tout cas, là tu n'as pas besoin de penser, c'est léger.

○ Oui, c'est ça, près du bar Ricou.

○ Ok, attends, je regarde... oui, il la passent au Trisoir à 20 h 15, ça te va ?

○ D'accord, à quelle heure tu veux y aller ?

○ D'accord, à demain, salut !

○ Ben d'accord... On pourrait peut-être voir, je sais pas moi, « Le Retour des extraterrestres au pays du soleil ».

11. Regardez les réponses de chat de ces personnes, pouvez-vous imaginer quelles étaient les propositions d'origine ?

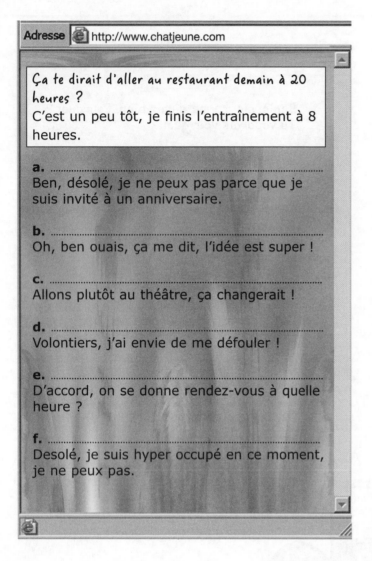

Adresse 🔲 http://www.chatjeune.com

Ça te dirait d'aller au restaurant demain à 20 heures ?
C'est un peu tôt, je finis l'entraînement à 8 heures.

a. ....
Ben, désolé, je ne peux pas parce que je suis invité à un anniversaire.

b. ....
Oh, ben ouais, ça me dit, l'idée est super !

c. ....
Allons plutôt au théâtre, ça changerait !

d. ....
Volontiers, j'ai envie de me défouler !

e. ....
D'accord, on se donne rendez-vous à quelle heure ?

f. ....
Desolé, je suis hyper occupé en ce moment, je ne peux pas.

12. A. Écoutez ces phrases. Il s'agit de propositions. Pouvez-vous indiquer leur courbe mélodique ? Dessinez le mouvement de la voix que vous entendez. L'intonation monte ou descend ?

> Si on allait au café ?

a. Dis Didier, si on allait au cinéma ?

b. Et Corinne, si on partait en vacances ?

c. Dis donc, si on se faisait un couscous ce soir ?

d. Tu aimerais partir en vacances avec moi ?

e. Ça te dit de prendre un mois de vacances ?

f. Ça te dirait d'aller au théâtre ?

B. Écoutez ces phrases. Il s'agit de refus. Pouvez-vous indiquer leur courbe mélodique ? Dessinez le mouvement de la voix que vous entendez. L'intonation monte ou descend ?

> Non, désolé je ne peux pas.

a. Désolé, ce soir j'ai du travail.

b. Non, je ne peux pas, je dois aller chez ma grand-mère.

c. Non, c'est dommage, j'ai un rendez-vous chez le dentiste.

d. C'est impossible, je n'ai pas le temps.

e. Je regrette, demain je ne suis pas libre.

f. Désolé, je dois aller faire des courses.

C. Maintenant, écoutez ces phrases et, en fonction de l'intonation, dites si vous entendez une proposition ou un refus.

		PROPOSITION	REFUS
1.	....		
2.	....		
3.	....		
4.	....		
5.	....		
6.	....		
7.	....		
8.	....		

Entraînons-nous au DELF

LE DELF B1. PRODUCTION DES ÉCRITS

Dans cet exercice, on va vous demander de donner votre opinion et de savoir l'argumenter simplement. Cet exercice est conçu dans une perspective comparative : vous devez être capable d'écrire en français sur des faits, des habitudes, etc. de votre environnement socio-culturel.

Dans cette partie de l'examen, on peut vous demander de rédiger un article, une lettre, un courrier, un essai...

Nous vous proposons d'observer la rédaction d'un candidat au DELF B1. En marge, vous pourrez lire quelques conseils qui doivent vous aider à préparer cette épreuve. Il ne faut pas suivre ce schéma à la lettre mais il doit vous permettre d'avoir une idée de la forme de l'exercice.

Exemple de production écrite : Dans le cadre d'un reportage sur les télévisions du monde, un magazine francophone demande à ses lecteurs d'écrire pour indiquer ce qu'ils pensent de la télévision de leur pays. Vous décidez de donner votre opinion (160-180 mots).

Introduction

Dans mon pays, les gens aiment beaucoup regarder la télévision. Il y a un grand choix de chaînes. Certaines sont publiques ; d'autres sont privées mais sincèrement, je ne vois pas vraiment la différence parce que les programmes sont plus au moins les mêmes. Il y a aussi des chaînes spécialisées. En général, il faut payer pour pouvoir regarder leurs émissions.

> Éviter d'introduire votre opinion dès la première partie. Commencez plutôt par une affirmation plus générale (ici : les habitudes de vos concitoyens par rapport à la télévision).

Développement

Je trouve qu'en général, il y a trop d'émissions où les gens viennent parler de leur vie. Je ne suis pas complèment contre mais il y en a trop. Cela ne veut pas dire que je n'aime pas la télévision. Au contraire, je suis comme tout le monde et je la regarde souvent mais plutôt le soir, très tard parce qu'il y a de bons films et surtout, beaucoup moins de publicité. En revanche, les débats politiques m'ennuient énormément.

> Vous exposez votre point de vue sur le sujet. Vous pouvez le nuancer, l'illustrer par des exemples, etc.

Conclusion

Je pense donc que la télévision de mon pays n'est pas pire qu'en France mais je préfère regarder de plus en plus des DVD ou naviguer sur Internet.

> Elle doit être courte. Vous y résumez votre point de vue mais vous ne développez pas une nouvelle idée.
>
> (Ce texte-ci a 168 mots.)

Quelques conseils

Voici quelques conseils complémentaires pour mieux vous organiser quel que soit le sujet.

Comment exprimer votre opinion :

Je pense que…
Je crois que…   *c' est une excellente / mauvaise idée parce que…*
Je trouve que…

Évitez les formes négatives parce qu'elles doivent être suivies du subjonctif !

À mon avis, …
Selon moi, …

Comment dire si vous êtes d'accord ou pas :

Je suis pour / je suis contre…
Je suis d'accord avec / je ne suis pas d'accord avec…   *ce projet parce que…*
Je suis favorable à / Je m' oppose à…
J'approuve…

Vous pouvez renforcer votre opinion avec des adverbes ou des locutions adverbiales : **absolument, complètement, entièrement, tout à fait, du tout** (cette dernière, uniquement à la forme négative).

Je suis complètement d'accord avec…
Je n'approuve pas du tout…

Pour bien argumenter, il faut suivre un raisonnement logique :

a) On explique : **parce que, car**

*Il n'aime pas les pays chauds **parce qu'**il ne supporte pas la chaleur.*
*Les paysages de ce pays sont très verts **car** il pleut souvent.*

b) On oppose des arguments : **mais, pourtant, au contraire**

*Nous voulons aller à la montagne, **mais** les enfants préfèrent aller à la plage.*
*J'adore la chaleur, **pourtant** l' été dernier j'ai vraiment souffert des températures élevées.*
● *Tu es fatiguée ?*   ○ ***Au contraire**, je suis en pleine forme !*

c) On indique une préférence : **plutôt**

*J'aime voyager en voiture ; ma femme aime **plutôt** l'avion.*

d) On insiste : **surtout, avant tout**

*Il ne faut **surtout** pas oublier nos passeports pour nos vacances en Tunisie.*
*Pour les vacances, nous voulons **avant tout** découvrir de nouvelles cultures.*

e) On n'oublie pas de conclure : **donc, alors** (observez bien leur place dans la phrase)

*Nous préférons **donc** les vacances dans les pays à climat tempéré.*
***Alors** nous préférons les vacances dans les pays à climat tempéré.*

13. Après avoir lu les textes des pages 24 et 25 du *Livre de l'élève*, vous écrivez un petit article pour donner votre opinion sur le sujet et dire si vous avez l'impression d'appartenir à une génération (160-180 mots).

LE DELF B1. PRODUCTION ORALE

Vous allez répondre à des questions que l'examinateur va vous poser (**entretien dirigé**), puis vous allez interpréter une petite scène (**exercice en interaction**). Finalement, vous donnerez votre avis à partir d'un document (**expression d'un point de vue**).

Expression d'un point de vue : À partir d'un court document écrit, vous disposerez de quelques minutes de préparation pour donner votre avis sur le sujet. Vous pouvez reprendre les conseils de l'écrit pour organiser ce petit monologue.

14. Choisissez l'un des deux documents (le jour de l'examen vous le tirerez au sort).
Vous devez trouver le thème du document et présenter votre opinion sous la forme d'un exposé personnel. (3 min environ)
Les autres élèves de la classe ou le professeur peuvent vous poser des questions. Le jour de l'examen, l'examinateur vous en posera.

Document 1

Les jeunes et les loisirs

En France, les parents ont l'habitude d'inscrire leurs enfants dans des clubs de sport dès leur plus jeune âge.

Pour les filles, la danse continue à être une des activités les plus prisées même si on a également constaté un intérêt croissant chez les garçons.

Ces activités permettent aux enfants de se développer physiquement et d'apprendre à créer d'autres liens sociaux au-delà de l'école.

Le problème se pose à l'adolescence où ils commencent à ne plus vouloir aller à la piscine ou au football et préfèrent retrouver leurs copains et copines dans la rue ou dans les bars.

Document 2

Génération Blog

Nous avons eu la « Génération loft », celle des « adulescents » et leur nostalgie pour les Goldorak[1] et autres Casimir[2]. Nous voilà maintenant dans la « Génération blog ». Tout le monde « blogue » au point que l'on parle de blogomanie. On ne cesse de recenser de nouveaux blogs sur Internet, comme si tout à coup tout le monde s'était pris d'une incroyable envie d'exposer sa vie sur la Toile sous les regards du monde entier. Enfin presque... car on sait aussi que seul 1 % des blogs en ligne est lu régulièrement !

[1] Goldorak est un personnage de dessins animés japonais des années 1970-80.
[2] Casimir est un personnage d'une émission pour les enfants des années 1970-80.

15. On va jouer un peu en parlant des loisirs.

RÈGLES DU JEU

- Mettez-vous en petits groupes de 4 ou 5.
- Vous avez besoin d'un dé.
- Chaque joueur doit parler 30 secondes sur le thème qui figure sur la case.
- Quand quelqu'un tombe sur le garçon qui court, il court avec lui jusqu'à la case suivante et relance le dé.
- Les cases prison : vous passez un tour.
- Si le joueur qui doit parler ne dit rien pendant 5 secondes, il recule de 5 cases (les autres comptent mentalement : un, deux, trois...). On peut se servir de mots qui permettent de maintenir l'attention du public, comme : **ben oui, alors, bon...**
- Pendant que le joueur parle sur sa case, les autres doivent réagir, même très brièvement en disant par exemple : **oui, peut-être, oui, bien sûr, oui, c'est vrai, non, je ne suis pas d'accord...**

5

VOTRE MUSIQUE PRÉFÉRÉE

UNE ÉMISSION DE TÉLÉ QUE VOUS ADOREZ

4

LE DERNIER DIS... QUE VOUS AV... ÉCOUTÉ

3

UN ACTEUR ET UNE ACTRICE QUE VOUS N'AIMEZ PAS DU TOUT

2

LE DERNIER LIV... QUE VOUS AVE...

VOTRE ACTEUR ET VOTRE ACTRICE PRÉFÉRÉS

1

11

Unité 3
C'EST PAS MOI !

1. **A.** Vous rappelez-vous ce que vous faisiez et où vous étiez à ces dates-là ?

il y a un an

l'hiver 1998

il y a 5 ans

le 31 décembre 2003

en août dernier

à votre dernier anniversaire

> En août dernier, j'étais à Londres.
> Je suivais un cours d'anglais et
> j'habitais avec une famille anglaise.

....

....

....

....

....

....

 B. Se rappeler et **se souvenir** sont deux verbes synonymes, mais ils ne se conjuguent pas tout à fait de la même manière. **Se rappeler** est un verbe à deux bases phonétiques : **rappell-rappel** ; et **se souvenir** est un verbe à 3 bases phonétiques : **souvien-souven-souvienn**. Écoutez et complétez les conjugaisons avec la base qui convient.

SE RAPPELER	rappell rappel

je me ....-e

tu te ....-es

il/elle/on se ....-e

nous nous ....-ons

vous vous ....-ez

ils/elles se ....-ent

SE SOUVENIR	souvien souven souvienn

je me ....-s

tu te ....-s

il/elle/on se ....-t

nous nous ....-ons

vous vous ....-ez

ils/elles se ....-ent

 C. Écoutez à nouveau et répétez.

2. L'inspecteur Graimet interroge 7 suspects. Notez dans le tableau où étaient ces personnes hier à 22 heures et ce qu'elles faisaient.

	À la discothèque	À un spectacle	Chez lui/elle	Au bureau	Chez quelqu'un	En voiture	Autre part
1.							
2.							
3.							
4.							
5.							
6.							
7.							

3. Vanessa, la chanteuse d'un groupe pop nous parle de ses souvenirs d'école. Lisez ce qu'elle raconte et complétez le tableau avec les verbes à l'imparfait que vous rencontrez dans le texte. Finissez ensuite de compléter le tableau avec les formes manquantes.

VANESSA

QUEL GENRE D'ÉLÈVE ÉTAIS-TU ?
J'étais une assez bonne élève, mais très bavarde. Je parlais beaucoup pendant les cours et ça agaçait les profs.

SI TU ÉTAIS UNE BONNE ÉLÈVE, TU N'AS JAMAIS EU BESOIN DE TRICHER PENDANT UN CONTRÔLE, N'EST-CE PAS ?
Si, ça m'est arrivé quelquefois. Quand j'avais peur d'avoir un trou de mémoire, je me faisais des antisèches sur ma main ou sur une gomme. Mais, c'était assez rare.

EST-CE QUE TU AVAIS UN BLOCAGE DANS UNE MATIÈRE ?
Oui, en anglais. J'avais toujours de très bonnes notes dans les autres matières, mais j'étais nulle en anglais. Je me sentais ridicule quand je devais parler anglais en classe.

AVAIS-TU BEAUCOUP DE COPAINS ET COPINES ?
J'avais deux très bonnes copines. Nous étions très proches. On se voyait en dehors des cours. On allait souvent ensemble en boîte ou bien au cinéma.

COMMENT T'HABILLAIS-TU POUR ALLER À L'ÉCOLE ?
Nous étions libres de nous habiller comme nous voulions. Mais bien sûr, au cours de physique et chimie nous devions porter une blouse et pour le cours d'éducation physique nous portions des vêtements de sport avec l'écusson de l'école.

QUEL EST TON PIRE SOUVENIR D'ÉCOLE ?
Les horaires. Les cours commençaient souvent à 9 heures et finissaient à 18 heures. Je trouvais ça long !

TU ÉTAIS DANS UN LYCÉE PUBLIC OU PRIVÉ ?
J'allais dans un lycée public. C'était un très bon lycée. En général les profs étaient sympas même s'ils se montraient toujours exigeants avec nous. J'ai de très bons souvenirs de mes années d'école.

IMPARFAIT — verbes en -er

	....	....	....	....	....	....	....
je							
tu							
il/elle/on							
nous							
vous							
ils/elles							

IMPARFAIT – verbes irréguliers

	ÊTRE	AVOIR	FAIRE	ALLER
je	j'étais			
tu				
il/elle/on				
nous				
vous				
ils/elles				

IMPARFAIT – autres verbes

	....	....	....	....	....	....
je						
tu						
il/elle/on						
nous						
vous						
ils/elles						

4. Qu'est-ce qu'ils faisaient/étaient en train de faire ce matin, pendant que le prof écrivait au tableau ?

> Juste avant que le prof se retourne, Isabelle était en train d'écouter/écoutait son discman, Rachid ....
>
> ....
> ....
> ....
> ....
> ....
> ....

Jasmine

Nathan

Rachid

Ivan

Isabelle

Estelle

5. **A.** L'inspecteur Graimet a noté la description de trois suspects.
Complétez les espaces avec les mots qui correspondent aux dessins.

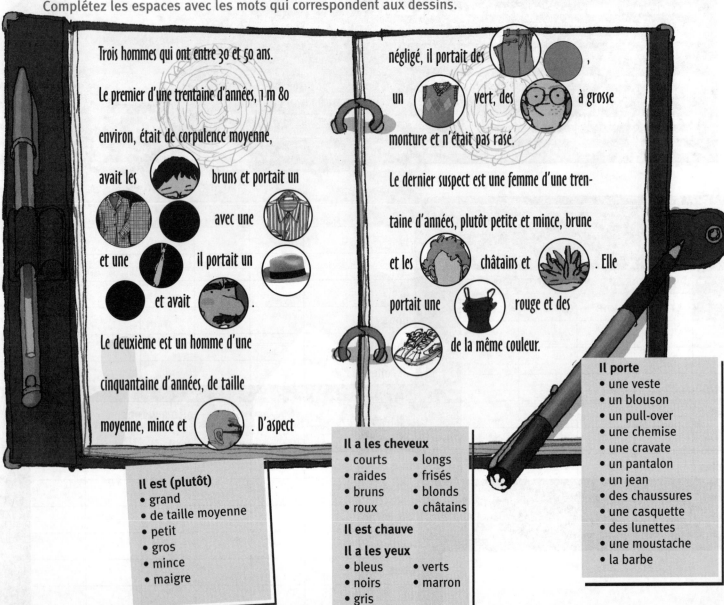

Trois hommes qui ont entre 30 et 50 ans.

Le premier d'une trentaine d'années, 1 m 80 environ, était de corpulence moyenne, avait les ⬤ bruns et portait un ⬤ avec une ⬤ et une ⬤ il portait un ⬤ et avait ⬤.

Le deuxième est un homme d'une cinquantaine d'années, de taille moyenne, mince et ⬤. D'aspect négligé, il portait des ⬤, un ⬤ vert, des ⬤ à grosse monture et n'était pas rasé.

Le dernier suspect est une femme d'une trentaine d'années, plutôt petite et mince, brune et les ⬤ châtains et ⬤. Elle portait une ⬤ rouge et des ⬤ de la même couleur.

Il est (plutôt)
- grand
- de taille moyenne
- petit
- gros
- mince
- maigre

Il a les cheveux
- courts   • longs
- raides   • frisés
- bruns   • blonds
- roux   • châtains

Il est chauve

Il a les yeux
- bleus   • verts
- noirs   • marron
- gris

Il porte
- une veste
- un blouson
- un pull-over
- une chemise
- une cravate
- un pantalon
- un jean
- des chaussures
- une casquette
- des lunettes
- une moustache
- la barbe

B. Dessinez maintenant les portraits robots des trois suspects.

6. Écrivez comment vous étiez habillé(e)...

Hier : je portais ....

....

....

Samedi soir : je portais ....

....

....

7. **A.** Comment étiez-vous quand vous aviez 10 ans ? Complétez le tableau suivant.

	Non	Oui
Habitiez-vous au même endroit qu'aujourd'hui ?		
Étiez-vous un/e bon/ne élève ?		
Regardiez-vous beaucoup la télévision ? Si oui, quelle était votre émission préférée ?		
Aviez-vous un jouet préféré ? Lequel ?		
Aviez-vous un jeu préféré ? Lequel ?		
Aimiez-vous lire ?		
Faisiez-vous un sport d'équipe (hand-ball, basket, football...) ? Lequel ?		
Étiez-vous fan d'une vedette (chanteur/chanteuse ; acteur/actrice...) ? De qui ?		
Aviez-vous beaucoup d'amis ?		
Aviez-vous une mascotte (un chat, un chien, un hamster...) ?		
Choisissiez-vous vos vêtements vous-même ?		
Saviez-vous skier ?		
Faisiez-vous toujours vos devoirs ?		
Étiez-vous un/e enfant sage ?		

B. À l'aide du tableau que vous venez de remplir, racontez en quelques lignes comment vous étiez à cet âge-là.

> Quand j'avais 10 ans, je n'habitais pas dans la même maison qu'aujourd'hui, par contre j'habitais dans le même quartier. J'étais...

8. Comparez en quelques phrases votre vie quotidienne aujourd'hui et la vie quotidienne de vos grands-parents quand ils avaient votre âge.

> Aujourd'hui, nous avons une alimentation très variée, mais il y a 50 ans, les gens mangeaient moins bien.

Aujourd'hui ....

Mais autrefois ....

Aujourd'hui ....

Mais en 1950...

À notre époque...

Mais quand mes grands-parents étaient jeunes...

9. **A.** Retrouvez l'événement qui a fait changer les habitudes, les goûts ou l'aspect de ces personnes.

a.
un jour, j'en ai trop mangé et j'ai fait une grosse indigestion.

b.
un été, je suis tombée amoureu-se d'un Anglais et nous sommes sortis ensemble pendant deux ans.

c.
l'été dernier, je me suis cassé le pied.

d.
il y a deux ans, mon père a changé d'emploi et nous sommes allés vivre à Paris.

e.
l'année dernière, j'ai commencé à travailler.

1. Avant, je jouais au football trois fois par semaine.
Mais .... et maintenant je ne peux plus jouer.

2. Avant, j'avais les cheveux longs.
Mais .... alors j'ai coupé mes cheveux.

3. Quand j'étais petite, j'adorais les bananes flambées.
Mais .... Depuis ce jour, je ne mange plus de bananes.

4. Il y a quelques années, nous habitions à Chamonix dans les Alpes et en hiver, nous allions souvent skier.
Mais .... Aujourd'hui, nous allons skier seulement une fois ou deux dans l'année.

5. Je n'aimais pas du tout l'anglais quand j'étais au collège et j'avais toujours de mauvaises notes.
Mais .... Aujourd'hui, je parle très bien l'anglais.

B. Écrivez dans le tableau ci-dessous les verbes et les expressions de temps.

IMPARFAIT	PASSÉ COMPOSÉ	PRÉSENT
Avant, je jouais au football trois fois par semaine.	L'été dernier, je me suis cassé le pied.	Maintenant, je ne peux plus jouer.

10. **A.** Conjuguez les verbes au passé composé puis reportez-les dans le tableau.

a. Piet et Alexandra .... (**se marier**) à Amsterdam.

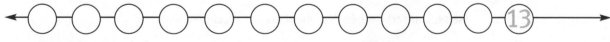

b. Samedi soir, nous .... (**sortir**) avec des amis.

c. Qu'est-ce que vous .... (**faire**) hier soir ?

d. Xavier est en forme, il .... (**monter**) les escaliers en courant.

e. Ce matin, j' .... (**écouter**) la radio.

○—○—○—⑤—○—○—○ ⟶

f. J' .... (**étudier**) toute la journée.

○—○—○—○—○—○—② ⟶

g. Est-ce que tu .... (**sortir**) le chien ?

○—○—○—○—○—⑨—○ ⟶

h. Paul .... (**ne pas pouvoir**) venir.

⑫—○—○—○—○—○—○ ⟶

i. Sylvie .... (**dire**) la vérité.

○—○—⑦—○ ⟶

j. Je .... (**ne pas comprendre**) votre explication.

○—○—⑩—○—○—○—○—○—○—○—○ ⟶

k. Marie .... (**se réveiller**) très tôt.

○—○—○—○—○—○—○—④—○—○—○—○ ⟶

l. Nous .... (**voir**) un film génial hier.

○—○—⑪—○—○—○ ⟶

m. Avant-hier, Christelle .... (**aller**) au cinéma.

○—○—○—○—③—○—○—○ ⟶

B. Maintenant, trouvez le message secret.

①—②—③—④—⑤—⑥—⑦—⑧—⑨—⑩—⑪—⑫—⑬ ⟶

11. **A.** Conjuguez les verbes au passé composé. Quand un verbe se conjugue avec avoir, ~~barrez~~ la lettre qui se trouve dans le cercle. Si vous faites bien l'exercice, vous découvrirez le message secret en reportant toutes les lettres non barrées dans les cercles situés à gauche.

○ Ⓡ **1.** Qu'est-ce que tu .... (**faire**) hier soir ?

○ Ⓔ **2.** Le week-end dernier, nous .... (**aller**) à la plage.

○ Ⓙ **3.** Nous .... (**voir**) un film formidable hier soir à la télé.

○ Ⓧ **4.** Ils .... (**se rencontrer**) l'année dernière dans une discothèque.

○ Ⓩ **5.** Nous .... (**manger**) des spécialités régionales absolument délicieuses.

○ Ⓒ **6.** Ce matin, je .... (**ne pas se réveiller**) à l'heure.

○ Ⓔ **7.** Elle est parisienne mais elle .... (**ne jamais monter**) à la Tour Eiffel.

○ Ⓓ **8.** Je .... (**oublier**) mon sac avec tous mes papiers dans le train.

(L) 9. À quelle heure est-ce que vous .... (**rentrer**) hier soir ?

(U) 10. Tu .... (**ne pas voir**) ma chemise verte ? Elle n'est pas dans l'armoire.

(S) 11. Ils .... (**marcher**) pendant 5 heures sans s'arrêter et ils sont très fatigués.

(L) 12. Dimanche dernier, il faisait froid alors je .... (**rester**) chez moi.

(V) 13. Vous .... (**finir**) de travailler à quelle heure hier ?

(E) 14. Paul et Virginie .... (**se marier**) en 1998.

(B) 15. Nous .... (**ne pas pouvoir**) te téléphoner.

(N) 16. Isabelle .... (**naître**) à 23 heures le 31 décembre.

(T) 17. Ce concert est un échec, le public .... (**ne pas venir**) très nombreux.

(D) 18. Je .... (**ne pas bien dormir**) cette nuit. Il faisait tellement chaud !

B. Complétez les phrases avec les verbes adéquats.

● Tu as bonne mine ! Tu .... à la plage ?
○ Non, mais ....à la montagne.

● Vous êtes en retard !
○ Je suis absolument désolé ! Mon réveil ....

● Tu as l'air fatigué !
○ Oui, je ....cette nuit.

● Peter est à l'hôpital.
○ Qu'est-ce qui lui .... ?
■ Il............................... la clavicule en tombant de moto.

● Qu'est-ce que je dois faire : J'............................... mes clefs ! Je ne peux pas rentrer chez moi !
○ Appelle un serrurier !

● Alors, tu as les résultats des examens ?
○ Oui, et je suis très contente : j'............................... tous les examens. Et toi ?
■ Moi non, j'...............................en statistiques.

● Tu as des nouvelles de Julien ?
○ Oui, il m' .... un courriel ce matin.

12. Aidez le passeur à résoudre ce problème.

CASSE-TÊTE

Le passeur a un problème : il doit transporter le chou, la chèvre et le loup sur la rive droite de la rivière, mais sa barque est trop petite pour les transporter tous en même temps. Il doit donc les transporter un par un. Mais dans quel ordre ? Le passeur sait que s'il laisse la chèvre seule avec le chou, la chèvre mangera le chou et s'il laisse la chèvre seule avec le loup, ce dernier mangera la chèvre. Comment faire ?

D'abord, le passeur transporte .... sur la rive droite de la rivière. **Ensuite,** ....

Puis, ...

Après, ...

Enfin, ...

13. Hugo est interrogé par madame le juge. Écoutez et choisissez les réponses correctes.

a. Où était Hugo vendredi 27 août à partir de 17 heures ?
- (A) Hugo était chez lui entre 17:00 et 18:30.
- (B) Hugo est sorti faire des courses à 17:00.
- (C) Un ami est venu chez Hugo à 17:00.

b. Où est-il allé vers 19 heures ?
- (A) Vers 19:00, Hugo est allé voir un copain.
- (B) Vers 19:00, Hugo est allé au gymnase pour faire un peu de musculation.
- (C) Entre 19:00 et 20:00, Hugo a « chatté » avec des copains sur Internet.

c. Où a dîné Hugo ?
- (A) Hugo a dîné chez Freddy.
- (B) Hugo a dîné dans un bar.
- (C) Hugo a dîné chez lui.

d. Qu'est-ce que Hugo a fait ce soir-là ?
- (A) Hugo est allé au cinéma pour voir le film *Désirs et murmures*.
- (B) Hugo n'est pas allé au cinéma ce soir-là.
- (C) Hugo est resté chez son copain Freddy jusqu'à minuit.

14. L'inspecteur Graimet enquête à propos d'un vol dans une bijouterie. Il est en train d'interroger l'employée du magasin. Complétez les phrases suivantes en mettant les verbes à l'imparfait ou au passé composé selon le cas. Ensuite, écoutez et vérifiez.

● Alors, dites-moi ce que vous ....(***a.* voir**).
○ Eh bien, je/j' .... (***b.* être**) en train de servir un client.
● Il........................ (***c.* y avoir**) beaucoup de monde dans le magasin ?
○ Euh non, deux clients seulement.
● Continuez !
○ Alors, deux hommes .... (***d.* entrer**).
● Ils........................ (***e.* être**) comment ?
○ Eh bien, l'un .... (***f.* être**) très grand, il .... (***g.* faire**) bien deux mètres.
● Vous .... (***h.* voir**) son visage ?
○ Non, pas très bien, car il .... (***i.* avoir**) une fausse barbe et une perruque rasta.
● Et l'autre homme ?
○ L'autre homme .... (***j.* être**) de taille moyenne et très très maigre.
● Il .... (***k.* porter**) aussi une fausse barbe ?
○ Non, il .... (***l.* porter**) une casquette et une fausse moustache.
● Et qu'est-ce qui .... (***m.* se passer**) ?
○ Eh bien, ils ....(***n.* sortir**) deux armes à feu d'un grand sac de sport et ils .... (***o.* dire**) « haut les mains, c'est un hold-up ! »
● Et alors ?
○ Alors nous .... (***p.* lever**) les bras.
● Et ensuite ?
○ Eh bien ensuite, pendant que le plus grand nous........................(***q.* surveiller**), le plus petit .... (***r.* mettre**) les bijoux dans un sac à dos.
● Vous n'avez rien remarqué de particulier ?
○ Ah si, une chose : le plus petit .... (***s.* être**) gaucher.

15. A. Imparfait ou passé composé ? À la première personne du singulier, il est possible de confondre l'imparfait et le passé composé. Vous allez entendre dix séries de verbes. Écoutez-les et indiquez, comme dans l'exemple, quel est le premier verb que vous entendez et quel est le deuxième.

B. Maintenant, vous allez dicter six verbes à la première personne de l'imparfait ou du passé composé et votre camarade va indiquer de quel temps il s'agit.

		PASSÉ COMPOSÉ		IMPARFAIT
a.	2	j'ai passé		je passais
b.		j'ai parlé		je parlais
c.		j'ai travaillé		je travaillais
d.		j'ai dansé		je dansais
e.		j'ai étudié		j'étudiais
f.		j'ai mangé		je mangeais
g.		j'ai écouté		j'écoutais
h.		j'ai voyagé		je voyageais
i.		j'ai participé		je participais
j.		j'ai acheté		j'achetais

Vos stratégies pour mieux apprendre

16. L'Activité 7 B consistait à écrire un texte. Comment avez-vous procédé pour l'écrire ?
En général, de quelle manière procédez-vous pour réaliser vos productions écrites ?
Réfléchissez et répondez aux questions suivantes. Ensuite, parlez avec vos camarades des
meilleures stratégies pour tirer profit des activités d'écriture.

A. Que pensez-vous des activités d'écriture en classe de langue ?

a. c'est très utile pour apprendre une langue : ça m'aide beaucoup
à mémoriser les choses.

b. Ça m'aide à retenir certains points de grammaire et de vocabulaire.

c. Je pense que ça ne sert à rien. Je préfère parler. Écrire, c'est ennuyeux.

B. Où cherchez-vous de l'aide pour écrire un texte ?

a. Je cherche des textes semblables pour qu'ils me servent de modèles.

b. Parfois, je cherche des textes semblables.

c. J'écris directement. Je n'ai pas besoin de modèle. L'important c'est d'être original.

C. Quels outils utilisez-vous ?

a. Des dictionnaires.

b. Des grammaires et des dictionnaires.

c. L'inspiration et un stylo.

D. Comment planifiez-vous le travail ?

a. J'écris directement le texte final.

b. Je fais d'abord une liste des thèmes que je vais traiter,
un schéma et un ou plusieurs brouillons.

c. Je fais un brouillon et ensuite, je le mets au propre.

**E. Quand vous révisez un brouillon, vous faites beaucoup
de changements ?**

a. Je change beaucoup de choses, y compris l'agencement
du texte parce que je pense à de nouveaux thèmes et à de
nouvelles manières de dire les choses.

b. Je ne change presque rien, sauf quelques détails.
La première version me semble toujours meilleure.

c. Je corrige certains détails pour améliorer l'orthographe
et la grammaire.

STRATÉGIE

Se retrouver face à une page blanche,
quand nous devons élaborer un texte écrit
n'est pas facile, même quand nous écrivons
dans notre propre langue. Et, c'est encore
plus difficile si nous devons écrire dans une
langue que nous sommes en train d'apprendre. Il est bon de réfléchir à la manière de
faire afin d'améliorer nos stratégies et tirer
meilleur profit des activités d'écriture. Ainsi,
nous pourrons développer notre capacité à
écrire en français.

Entraînons-nous au DELF

LE DELF B1. COMPREHENSION DES ÉCRITS

17. Vous voulez offrir un livre à un ami qui est en train d'apprendre le français. Il n'a pas encore un niveau très élevé. Vous savez qu'il adore les mystères ; par contre, il déteste ceux où les adolescents sont les personnages principaux. Vous avez trouvé sur le site Internet d'une maison d'édition ces lectures qui s'adressent aux étudiants de français. Parmi ces quatre présentations de livres, laquelle vous semble la mieux adaptée ?

L' ange gardien — Niveau 1

À Perpignan, un justicier masqué protège les citoyens en danger. Il apparaît toujours au bon moment pour défendre les victimes contre leurs agresseurs. Comment fait-il pour être si bien informé et qu'est-ce qui le motive ? Alex Leroc, qui se trouve à Perpignan pour le mariage de sa sœur, a très peu de temps pour découvrir l'identité de ce Zorro du vingt et unième siècle.

Arthur en danger — Niveau 1

Julien, un jeune garçon de 13 ans, se casse la jambe en faisant du roller. On l'emmène à l'hôpital. Arthur, son perroquet, inquiet de la disparition de Julien, part à sa recherche. Mais l'appel de l'aventure est trop fort : au lieu d'aller à l'hôpital, Arthur survole les rues de Paris quand soudain, dans un parc, un homme s'empare de lui : Arthur est en danger !

Un cas Hard Rock — Niveau 2

Le groupe de rock « Cirage » a beaucoup de succès. Quand des menaces de mort destinées aux musiciens sont envoyées au magazine l'Avis, Alex, qui les connaît personnellement, sent que le danger est réel. Il veut absolument identifier l'auteur de ces messages. Mais, par où commencer ? Ce sont les titres du dernier CD de Cirage qui vont mettre Alex et Nina sur la piste.

Quartier libre — Niveau 3

Aux Deux Tours, une cité de la banlieue parisienne, un professeur de mathématiques propose de préparer un projet multimédia à des élèves issus de milieux familiaux différents, afin de les rapprocher. Va-t-il y arriver ?

Niveau de lecture

Arthur en danger	OUI / NON	Justification : ....
Quartier libre	OUI / NON	Justification : ....
L'ange gardien	OUI / NON	Justification : ....
Un cas hard rock	OUI / NON	Justification : ....

Est-ce un livre de mystère ?

Arthur en danger	OUI / NON	Justification : ....
Quartier libre	OUI / NON	Justification : ....
L'ange gardien	OUI / NON	Justification : ....
Un cas hard rock	OUI / NON	Justification : ....

Le personnage principal est un adolescent

Arthur en danger   OUI / NON   Justification : ....
....

Quartier libre   OUI / NON   Justification : ....
....

L'ange gardien   OUI / NON   Justification : ....
....

Un cas hard rock   OUI / NON   Justification : ....
....

En fin de compte, quel livre avez-vous choisi ?

....

Pour quelle(s) raison(s) ? ....

....

LE DELF B1. COMPRÉHENSION DE L'ORAL

Vous allez écouter des documents (conversation, programme radio...) et vous allez remplir avec des croix ou des chiffres des questionnaires de compréhension générale et détaillée.

---

18. Nous allons commencer la préparation de cette épreuve par la compréhension d'un document que vous connaissez (enregistrement U3.10, *Livre de l'élève 2*).

Ce document est :
- Le récit d'un cambriolage
- Les aveux des malfaiteurs
- Le témoignage d'une victime

Quelle est l'heure indiquée ?
- 20 h 30
- 21 h 30
- 22 h 30

Les blocs de pierre se trouvaient dans la rue parce que le restaurant réalisait des travaux d'aménagement.
☐ VRAI   ☐ FAUX   ☐ ON NE SAIT PAS

Les cambrioleurs de l'histoire n'ont pas pris d'argent mais ont mangé des crêpes.
☐ VRAI   ☐ FAUX   ☐ ON NE SAIT PAS

Un témoin a averti la police parce qu'il
- a vu de la lumière dans la crêperie
- a vu les voleurs s'enfuir
- a entendu du bruit dans la crêperie

La police est arrivée
- à temps pour arrêter les voleurs
- après le départ des voleurs
- et a poursuivi les voleurs sans succès

Les voleurs ont mangé des crêpes et
- ont bu du cidre
- ont bu trois bouteilles de cidre
- ont emporté des bouteilles de cidre

Auto-évaluation

1. Voici une série de réponses auxquelles vous devez associer la question correspondante.

A. Je prendrai cette chambre.
   a. Qu'est-ce que tu prendras ?
   b. Quelle chambre prendras-tu ?
   c. Est-ce que tu prendras cette chambre ?

B. Bien sûr qu'il a droit à des allocations pour son appartement.
   a. À quoi a-t-il droit ?
   b. Pourquoi est-ce qu'il a droit aux allocations ?
   c. Est-ce qu'il a droit aux allocations ?

C. Généralement, on vient en bus.
   a. Est-ce que vous venez souvent en bus ?
   b. Comment est-ce que vous venez à l'école ?
   c. Pourquoi vous venez généralement en bus ?

D. Le chauffage de l'appart est en panne.
   a. Le chauffage, il marche ?
   b. Qu'est-ce qui s'est passé ?
   c. Est-ce que c'est le chauffage qui est en panne ?

E. Son propriétaire ne veut pas lui rendre sa caution.
   a. Quel problème a-t-elle avec son propriétaire ?
   b. Est-ce qu'il a un problème avec son propriétaire ?
   c. Pourquoi son propriétaire ne lui rend pas la caution ?

2. Conjuguez ces verbes au temps qui convient (indicatif présent, conditionnel, impératif).

a. Excusez-moi, Madame, est-ce que vous .... (**pouvoir**) me donner l'heure s'il vous plaît ?

b. Bob, ... (**ne pas rentrer**) trop tard ce soir, OK ?

c. À ta place, je leur .... (**téléphoner**) pour les prévenir de notre retard.

d. Les touristes .... (**devoir**) trouver ce coin très sympa quand ils viennent ici en vacances.

e. Vous .... (**ne pas avoir**) du feu par hasard ?

f. Les personnes qui téléphonent avec leur portable devant moi m'... (**agacer**).

g. Tu trouveras à manger dans le frigo. .... (**se servir**).

h. Malgré le bruit, nous .... (**ne pas se plaindre**).

i. Si ces livres nous .... (**plaire**), nous pouvons les emprunter, n'est-ce pas ?

j. Qu'est-ce que tu .... (**faire**) sans moi, hein ?

3. Décrivez votre chambre en réutilisant huit prépositions de lieu différentes.

4. Complétez le courriel que Martine écrit à Nicole pour lui donner rendez-vous.

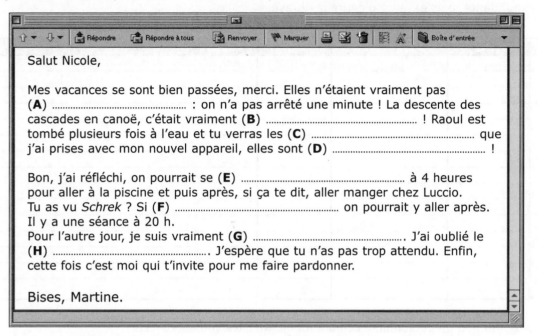

Salut Nicole,

Mes vacances se sont bien passées, merci. Elles n'étaient vraiment pas
(**A**) .... : on n'a pas arrêté une minute ! La descente des
cascades en canoë, c'était vraiment (**B**) .... ! Raoul est
tombé plusieurs fois à l'eau et tu verras les (**C**) .... que
j'ai prises avec mon nouvel appareil, elles sont (**D**) .... !

Bon, j'ai réfléchi, on pourrait se (**E**) .... à 4 heures
pour aller à la piscine et puis après, si ça te dit, aller manger chez Luccio.
Tu as vu *Schrek* ? Si (**F**) .... on pourrait y aller après.
Il y a une séance à 20 h.
Pour l'autre jour, je suis vraiment (**G**) .... J'ai oublié le
(**H**) .... J'espère que tu n'as pas trop attendu. Enfin,
cette fois c'est moi qui t'invite pour me faire pardonner.

Bises, Martine.

5. Lisez la lettre que Marie Hélène écrit à son ami pour lui raconter ses vacances à Berlin.
Les expressions de temps ont disparu, complétez la lettre avec :

le soir ■ lundi ■ ce matin ■ mardi après-midi ■ ce soir ■ l'après-midi

Salut Jonathan,
(a) ...., nous sommes allés au marché aux Puces, c'était absolument hallucinant tout ce qu'on a pu trouver ! Je me suis acheté une veste en cuir et des supers chaussures rouges. Cet après-midi, on s'est promenés dans Prenslauerberg, un quartier dans l'ancien Berlin Ouest, où il y a plein de petits théâtres et où on voit des gens plutôt « artistes » et des squatters. (b) ...., après le dîner, nous allons voir une performance en vidéo-danse dans une ancienne usine transformée en salle de spectacle. Demain dimanche on va aller voir des lacs qu'il y a au Sud de la ville et après (c) ...., nous sommes invités chez des copains qui viennent de monter une coopérative de produits biologiques et un centre de relaxation. (d) .... on va aller se promener dans le quartier de Charlottenburg, et on en profitera pour voir la cité universitaire d'Eichkamp qui est, paraît-il, en plein milieu d'une forêt. Et (e) ...., on a rendez-vous dans un café à la mode, le « Schwarz café », où l'on mange de délicieux gâteaux au chocolat. Mardi, on va voir des expositions et (f) ...., on a rendez-vous avec Marco, un peintre qui doit essayer de trouver une galerie pour Philippe. Et on s'en va mercredi. Ça va passer vite !

À bientôt,

Marie Hélène.

 Évaluez comment vous utilisez les notions suivantes. Écrivez ensuite un mini-dialogue où
une personne fait une proposition à une autre.

JE SAIS UTILISER :	PEU	ASSEZ BIEN	BIEN	TRÈS BIEN
si on + imparfait				
avoir envie de + infinitif				
le futur proche				
les jours de la semaine, les moments de la journée et l'heure				

6. Qu'est-ce que vous entendez ? Présent, passé composé ou imparfait ? Cochez la case correspondante, puis essayez d'écrire la phrase.

	PRÉSENT	PASSÉ COMPOSÉ	IMPARFAIT	PHRASE
1				
2				
3				
4				
5				
6				
7				
8				
9				
10				
11				
12				
13				
14				
15				

7. **A.** Il s'agit de la biographie d'un personnage célèbre. Conjuguez les verbes au passé.

■ Il s'................**(A)**................ (**appeler**) Alphonse mais on le ....**(B)**................ (**surnommer**) « le balafré » (scarface) parce qu'il ....**(C)**................ (**porter**) une cicatrice sur le visage.

■ Il ....**(D)**................ (**naître**) à New York en 1889. À 9 ans, il ....**(E)**................ (**quitter**) l'école et il ....**(F)**................ (**entrer**) dans un *gang*. En 1920, il ....**(G)**................ (**aller**) vivre à Chicago où il ....**(H)**................ (**construire**) une organisation qui ....**(I)**................ (**contrôler**) le commerce clandestin de l'alcool.

■ Il ....**(J)**................ (**passer**) les dernières années de sa vie à Miami où il ....**(K)**................ (**mourir**) en 1947.

■ L'acteur Robert de Niro l'interprète dans le film « Les incorruptibles ».

B. Savez-vous qui c'est ?

BILAN AUTO-ÉVALUATION

JE SAIS :	PEU	ASSEZ BIEN	BIEN	TRÈS BIEN
parler de mes goûts et de ma manière d'être				
décrire l'endroit où j'habite et m'orienter dans l'espace				
parler de mes impressions, de mes sentiments et de mes expériences				
proposer ou suggérer quelque chose				
refuser ou accepter une proposition				
prendre rendez-vous				
comprendre un récit rapportant des événements et les raconter				
détailler les circonstances qui entourent des événements				

Unité 4
ÇA SERT À TOUT !

1. **A.** Marc rêve en pensant au billet de loterie qu'il vient d'acheter avec des amis. Lisez ce qu'il dit et écrivez les verbes à la forme qui convient.

Ce .... (**être**) la belle vie. D'abord on .... (**partager**) et

moi, je .... (**placer**) ma part dans une banque en Suisse, puis avec mes

meilleurs amis, nous .... (**faire**) le tour du monde.

Je m'........................... (**arrêter**) de travailler et je........................... (**donner**) une

partie de l'argent à mes sœurs. Elles .... (**faire**) ce qu'elles ....

(**vouloir**) avec. Il y .... (**avoir**) de grandes fêtes dans la maison que je m'...........................

(**acheter**) à la plage. Et vous, qu'est-ce que vous .... (**faire**) ?

B. Maintenant, regardez bien la forme du futur des verbes et complétez le tableau.

avoir	vouloir	faire	être	partager, placer, s'arrêter, donner, acheter
j'...........................	je	je ferai	je serai	je partagerai
tu auras	tu voudras	tu...........................	tu	tu ....
il/elle/on	il/elle/on voudra	il/elle/on fera	il/elle/on	il/elle/on ....
nous aurons	nous voudrons	nous	nous serons	nous ....
vous	vous voudrez	vous	vous serez	vous ....
ils/elles auront	ils/elles	ils/elles	ils/elles seront	ils/elles partageront

2. **A.** Vous consultez une voyante qui lit votre avenir dans sa boule de cristal. Regardez ce qu'elle vous prédit pour les cinq prochaines années et complétez avec les verbes manquants.

Votre santé .... excellente et vous .... une nouvelle opportunité

dans votre travail / vos études dès le mois prochain. Dans quelques mois vous ....

une grande surprise parce que la même semaine vous .... une personne très

intéressante et vous .... à la loterie. Avec cet argent vous ....

seul/e un grand voyage dans un pays lointain.

B. Comment croyez-vous vraiment que votre vie sera dans 15 ans ?
Écrivez un petit texte pour la décrire.

Votre travail / vos études :...

....

Votre famille : ....

Votre domicile : ....

....

Autres : ....

....

3. Vous êtes le responsable de l'agenda dans le journal interne de l'école où vous apprenez le français. Annoncez un des événements prévus prochainement dans la liste ci-dessous.

/// la conférence d'une personnalité.
/// un petit marché artisanal pour Noël organisé par les étudiants.
/// une collecte au profit d'une association.
/// une rencontre sportive avec une autre école.
/// un pique-nique entre professeurs et élèves.
/// un changement important dans les bâtiments

/// une soirée à thème.

Samedi 3 avril à partir de 20 heures aura lieu, comme chaque année,
la grande soirée européenne.
Il y aura des plats de tous les pays de la communauté préparés par
les étudiants.
Le ticket d'entrée de 10€ donnera droit à 2 boissons et à goûter tous
les plats présentés. C'est l'orchestre le TRIPOLI qui animera cette soirée.
Si vous voulez participer, vous pouvez contacter Sylvain Polinski
entre 12 h et 14 h dans la salle A008.
Espérons que nous serons aussi nombreux que l'année dernière.

4. Voici quelques sujets à partir desquels vous pouvez imaginer des prévisions absurdes pour l'avenir.

/// La vie politique de votre pays
L'année prochaine, on supprimera les impôts pour toutes les personnes qui pèseront
moins de 70 kilos.

/// Le temps qu'il fera
/// La vie des gens célèbres
/// La vie dans votre école/à votre travail

5. Voici des objets que l'on n'utilise pas souvent. Essayez de trouver leur nom dans la liste proposée et expliquez en quoi ils sont et à quoi ils servent. Si c'est nécessaire, aidez-vous d'un dictionnaire.

DESSIN NUM.	NOM DE L'OBJET	DESCRIPTION
◯	un dé à coudre	
◯	du cirage	
◯	un anorak	
◯	un camping gaz	
◯	des allumettes	Ça sert / Elles servent / C'est une chose en bois qui sert à ....
◯	un arrosoir	
◯	une ampoule	
◯	des bretelles	
◯	un mètre	
◯	une multiprise	

7

8

9

10

6. Lisez les textes de la page 42 du *Livre de l'élève 2*. Est-ce que vous avez, vous aussi, un petit problème que vous voudriez résoudre ? Écrivez un texte semblable aux modèles.

7. Regardez les objets des pages 36-37 du *Livre de l'élève 2*. Choisissez-en deux et écrivez deux petites annonces pour les vendre dans le journal local.

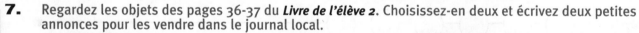

À vendre.
OUVRE-BOÎTES EN ACIER
(fin de série)
Pratiques, idéaux pour
le camping
Complètement neufs
5€ la pièce
Tél. : 05 65 80 78 88

8. **A.** Charles, un élève, a perdu un objet ce matin à l'école. Écoutez sa conversation avec le concierge puis choisissez parmi les objets proposés celui auquel il se réfère.

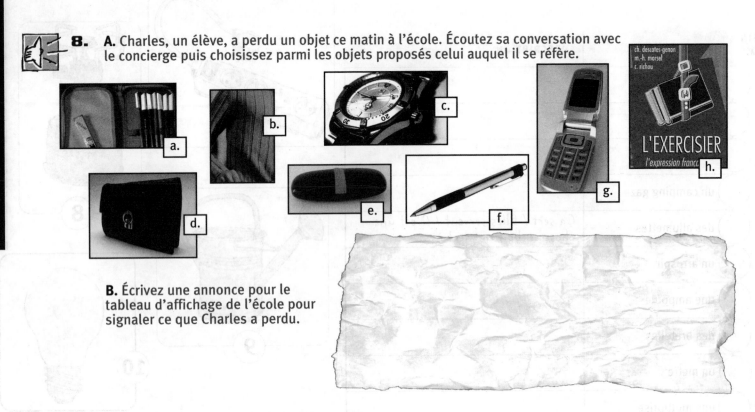

B. Écrivez une annonce pour le tableau d'affichage de l'école pour signaler ce que Charles a perdu.

9. **A.** Regardez ces verbes et cochez ceux qui sont au futur.

◯ prends	◯ savais	◯ fermera	◯ inviteras
◯ venaient	◯ raconteront	◯ pouvez	◯ travaillerez
◯ pourrez	◯ viviez	◯ arriverons	◯ mettriez
◯ apprendrai	◯ donnerais	◯ allait	◯ partirions

B. Prenez la première lettre, en respectant l'ordre, de chacun des verbes au futur pour obtenir un mot en français.

10. Lisez ce texte publicitaire, puis placez les verbes en caractères gras dans le tableau.

///////////Si les hommes **étaient** immortels, ils **vivraient** chaque jour comme si c'**était** le dernier parce qu'on ne **peut** pas être heureux en sachant que la vie ne **terminera** jamais. Mais comme personne n'est immortel et ne le **sera** sans doute jamais, il vaut mieux ne pas prendre de risque. Au volant, **respectez** les limitations de vitesse, vous **ferez** un grand cadeau : la vie. ///////////////////////// /// ///

CONDITIONNEL PRÉSENT	PRÉSENT	FUTUR	IMPARFAIT	IMPÉRATIF

11. **A.** Répondez à ce questionnaire.

/// Un plat que vous recommandez : /// ....

/// L'acteur qui, actuellement, plaît le plus dans votre pays : /// ....

/// Un livre que vous avez lu plusieurs fois : /// ....

/// Un lieu qui est pour vous plein de bons souvenirs : /// ....

/// Une personne que vous admirez : /// ....

/// Un lieu que vous voudriez bien visiter : /// ....

/// Une chose qui vous passionne : /// ....

B. À votre tour écrivez un questionnaire que vous pourrez proposer à vos camarades de classe et à votre professeur. Attention aux pronoms **que** et **qui**.

/// Une personne qui ....

/// Un lieu que ....

/// Un objet que ....

/// Une ville qui ....

/// ....

/// ....

/// ....

12. Faites des listes d'objets qui sont en...

BOIS	PLASTIQUE	MÉTAL
_____	_____	_____
_____	_____	_____
_____	_____	_____
_____	_____	_____
_____	_____	_____

CUIR	VERRE	----------------------
_____	_____	livres
_____	_____	cahiers
_____	_____	chèques
_____	_____	tracts
_____	_____	confetti

13. Imaginez les questions pour chacune de ces réponses.

- ....
  ○ C'est pour nettoyer les bouteilles.

- ....
  ○ 100% en coton.

- ....
  ○ Avec des piles.

- ....
  ○ C'est long et rectangulaire.

- ....
  ○ Avec de l'eau et du savon.

- ....
  ○ Dans toutes les pharmacies.

- ....
  ○ La vitesse se règle à partir du bouton à droite.

- ....
  ○ 35 €.

14. De quels objets parlent-ils ?

a | un fauteuil pliable ◯

b | un album photo ◯

c | un tire-bouchon ◯

d | une montre ◯

e | une lampe ◯

f | une sorbetière ◯

15. Voici une liste d'objets, essayez de les regrouper comme dans l'exemple.

Ce sont des objets que je porte toujours sur moi : un stylo, des mouchoirs en papier, un téléphone portable.

/// un ordinateur   /// un cadeau   /// un réveil-matin   /// un jeu de cartes   /// un robinet

/// un micro-ondes   /// une bibliothèque   /// une lettre d'amour   /// un chiffon   /// un couteau

/// une fourchette   /// une radio   /// une armoire   /// une pièce de monnaie   /// un pion

/// un bracelet   /// une montre   /// des pantoufles   /// un journal   /// un tube de colle

/// une photo   /// une voiture   /// une lampe   /// un verre   /// un cadre de photo

....

....

....

....

....

16. Écrivez un petit article sur un objet qui a ou a eu beaucoup d'importance pour vous. Comment vous l'avez eu ? Depuis quand ? Pourquoi ? Comment il est ? (70 mots environ.)

17. A. Savez-vous ce que c'est qu'une charade ? Regardez l'exemple, puis à votre tour essayez de résoudre les trois suivantes.

■ Mon premier est un oiseau blanc et noir
■ Mon deuxième est un animal que les hommes détestent
■ Mon troisième est la partie blanche du pain
■ Mon quatrième est le chiffre qui suit « un »
■ Mon tout est en Égypte

PIE-
RAT-
MIE-
DEUX

P Y R A M I D E

■ Mon premier est un métal
■ Mon deuxième est représenté par un enfant qui a des ailes
■ Mon tout est un fruit

■ Mon premier est un synonyme d'ERREUR
■ Mon deuxième est sur le haut du visage et sert à voir
■ Mon tout est très utile pour regarder la télévision confortablement

■ Je bois mon premier tous les matins
■ Mon deuxième est la 20ème lettre de l'alphabet plus une voyelle
■ Il y a beaucoup de mon troisième sur les autoroutes pour se reposer
■ Mon tout est un récipient pour un liquide chaud

B. À votre tour, essayez de faire des charades. Vous pouvez utiliser cette liste d'objets ou en chercher d'autres.

■ RUBAN _____

■ RADIATEUR _____

■ ROULETTE _____

■ CISEAUX _____

■ _____

■ _____

18. A. Voici trois produits futuristes : **un anorak solaire**, **un réfrigérateur intelligent** et **un microprocesseur humain**. Pouvez-vous deviner ce que ces produits permettront de faire ?

	L'anorak solaire	Le réfrigérateur intelligent	Le microprocesseur humain
Il captera l'énergie solaire			
Il transmettra des références personnelles et professionnelles			
Il suggérera des recettes de cuisine			
Il donnera une plus grande autonomie à notre téléphone cellulaire et notre ordinateur portable			
Il ouvrira la porte de la voiture			
Il sera très utile en montagne			
Il fera démarrer la voiture			

B. Le journal *Avenir* a réalisé l'interview de Monsieur Duquin, responsable d'une équipe de chercheurs. Il décrit une série d'objets et leur utilité. Lisez cette interview et vérifiez si vous aviez tout trouvé dans l'exercice précédent.

///////// F U T U R E ///

AVENIR :

M. Duquin, dernièrement trois nouveautés ont été présentées par votre équipe de chercheurs. Pouvez-vous nous les présenter ?

M. DUQUIN :

Oui, bien sûr. Tout d'abord, nous avons mis au point un anorak qui est recouvert de panneaux solaires qui fourniront l'énergie nécessaire aux équipements que nous transportons sur nous, comme par exemple, le téléphone cellulaire ou l'ordinateur qui bénéficieront ainsi d'une plus grande autonomie. Cet anorak sera très utile par exemple en montagne, puisque sa fonction première est bien entendu de protéger du froid.

AVENIR :

Mais vous avez aussi présenté recemment un réfrigérateur intelligent ?

M. DUQUIN :

Oui, un appareil aussi commun que le réfrigérateur sera capable de savoir quels sont les produits stockés. En fonction des aliments disponibles à l'intérieur, il vous suggérera des recettes. Il pourra aussi faire la liste des courses et commandera ce qui est nécessaire au supermarché.

AVENIR :

Ces nouveautés sont assez extraordinaires, mais je crois que la plus étonnante est le microprocesseur humain. Parlez-nous un peu de cet objet insolite.

M. DUQUIN :

Il s'agit d'un microprocesseur qui pourra être introduit dans le corps humain. Il suffira de serrer la main de quelqu'un pour échanger automatiquement ses références personnelles et professionnelles. Cela remplacera en quelque sorte la carte de visite, mais aussi ce système servira de clé d'identification pour ouvrir sa porte de voiture et démarrer par exemple. En fait, ses applications seront très nombreuses.

AVENIR :

Et quand est-ce que tout cela sera réellement utilisable ? Quand est-ce que je pourrai acheter mon réfrigérateur et mon anorak intelligent ?

M. DUQUIN :

Ce sont des prototypes qui fonctionnent déjà. Bientôt ils seront d'un usage courant !

L'ENCHAÎNEMENT

L'enchaînement consiste à enchaîner à l'oral deux mots qui se suivent en joignant la dernière consonne d'un mot, ou la dernière voyelle prononcée, à la voyelle du mot suivant. Il y a deux types d'enchaînement :
- L'enchaînement consonantique où un mot finit par une consonne et le mot suivant commence par une voyelle.
- L'enchaînement vocalique où un mot finit par une voyelle, que l'on prononce, et le mot suivant commence par une voyelle.

L'enchaînement a pour effet la modification de la structure syllabique des deux mots qui se suivent ; ils sont prononcés en un seul groupe de souffle, c'est à dire, sans qu'il y ait de coupure de voix entre eux deux. Il permet ainsi de faciliter la prononciation des mots. Cette réorganisation de la structure syllabique a une influence sur le rythme de la phrase et son accentuation, donc sur sa prosodie.

19. Écoutez l'enchaînement consonantique avec la consonne **r** puis répétez.

Leur ami est très grand.

Leur avion est arrivé à quatre heures.

Il est parti sur un bateau.

Il s'est assis sur une chaise.

20. Écoutez l'enchaînement vocalique, puis répétez.

Il travaillera à Paris.

Elle vivra à Toulouse.

Il habitera à Monaco

Tu partiras à Londres cet été.

21. Écoutez ces phrases puis dites-les au futur.

Tu viens demain ?

À quelle heure elle arrive ?

Je pars dans deux heures.

Nous regardons la télévision.

Ils ont beaucoup de travail.

On mange vers 8 heures.

22. Écoutez ce poème puis lisez-le à haute voix.

Et la mer et l'amour ont l'amer pour partage
Et la mer est amère, et l'amour est amer,
L'on s'abyme en l'amour aussi bien qu'en la m[...]
Car la mer et l'amour ne sont point sans ora[...]

Pierre de Marbeuf (1596-1645)

Vos stratégies pour mieux apprendre

23. **Le jeu du Tabou**

Dessinez un trajet dans ce labyrinthe puis expliquez-le à un camarade de classe pour qu'il le dessine sur son livre. Vous ne pouvez pas nommer les objets, vous devez utiliser d'autres stratégies pour expliquer de quel objet il s'agit.

Mots tabous :
- téléphone portable
- clefs
- cafetière
- montre
- lampe
- réveil

- stylo
- ski
- anorak
- réfrigérateur
- ouvre-boîte
- cadre

- fourchette
- lunettes
- raquette
- ciseaux
- bouchon
- statue

- brosse à dents
- globe terrestre
- pinceau
- étui à lunettes
- bague

STRATÉGIE

Souvent nous ne connaissons pas le nom d'une chose et nous devons développer des stratégies pour compenser ce manque de vocabulaire, comme c'est le cas dans ce jeu.

Pour parler de quelque chose sans donner le nom, on peut :

- parler de sa forme et de sa matière
- dire à quoi il sert
- dire qui l'utilise ou qui le possède
- dire le nom d'une chose similaire
- dire où on peut le trouver etc.

LE DELF B1. PRODUCTION ORALE

Entretien informel

Cette partie de l'épreuve orale doit vous permettre de vous sentir à l'aise pour la réalisation des autres parties de l'oral. Dans cet entretien, l'examinateur attend que vous lui parliez de vous en deux à trois minutes.

Quelques conseils

- N'oubliez pas de saluer l'examinateur et qu'en français, on utilise toujours le vouvoiement dans ce type de situation.
- Ordonnez votre présentation. Comme on dit en français, ne passez pas du coq à l'âne ! Pensez un peu au contenu et à l'ordre de la fiche d'identité ou d'un formulaire d'inscription.
- Comme c'est un sujet que vous connaissez, ne vous engagez pas dans des voies sans issues : utilisez le vocabulaire que vous connaissez. Ce qui veut dire qu'avant le jour de l'examen, vous devez savoir comment dire en français les choses essentielles sur vous et votre entourage, vos loisirs... Ne laissez pas l'examinateur diriger l'entretien !
- L'autocorrection est toujours très appréciée : si vous vous trompez (tout le monde se trompe !), corrigez-vous avec des petites phrases comme (**Pardon / Excusez-moi / Je voulais dire...**)
- Le professeur pourra vous interrompre pour compléter ou relancer l'entretien. Si vous n'avez pas bien compris la question, ne vous inquiétez pas et demandez-lui de répéter (**Est-ce que vous pouvez répéter, s'il vous plaît ? / Pardon, je n'ai pas bien compris votre question...**)

24. À présent, entraînez-vous avec votre voisin et alternez les rôles candidat-examinateur. Généralement, l'entretien commence par « Bonjour, Monsieur/Madame/Mademoiselle, pouvez-vous vous présenter... ? ».

 25. Vous allez entendre trois documents correspondant à trois situations différentes. Vous aurez 30 secondes pour lire les questions ; puis 30 secondes pour commencer à répondre aux questions après une 1ᵉ écoute ; une 2ᵉ écoute et une minute pour compléter vos réponses.

Document n° 1 – lisez les questions

Quelle est la nature du document ?
- (a) Un spot publicitaire.
- (b) Une rubrique infos.
- (c) Un extrait de conférence.

Ce document présente
- (a) un insecticide.
- (b) une nouvelle invention.
- (c) une carte de paiement.

Le système fonctionnera si
- (a) l'utilisateur montre sa puce.
- (b) l'utilisateur se trouve à au moins un mètre de la puce.
- (c) si l'utilisateur se trouve à moins d'un mètre de la puce.

Les banques attendent du public
- (a) qu'il n'ait plus peur de payer.
- (b) qu'il n'utilise plus sa carte traditionnelle.
- (c) qu'il n'utilise plus de code secret.

Document n° 2 – lisez les questions

Ce document présente
- (a) quelqu'un qui annonce un examen de français.
- (b) quelqu'un qui est en train de faire l'évaluation annuelle de français.
- (c) quelqu'un qui explique comment s'organisent les examens trimestriels.

L'examen aura lieu
- (a) à 13 heures le mercredi 9.
- (b) à 11 heures le mercredi 12.
- (c) entre 9 et 11 heures le mercredi 13.

L'examen portera sur
- (a) les écrivains français.
- (b) les derniers points étudiés en classe.
- (c) les verbes irréguliers.

La rédaction devra contenir
- (a) 160 mots.
- (b) 120 mots.
- (c) 80 mots.

Document n° 3 – lisez les questions

Ce document présente
- (a) deux amis qui parlent d'une fête où ils sont allés.
- (b) deux amis qui parlent d'un examen.
- (c) deux amis qui parlent de leurs copines respectives.

Les lycéens sont
- (a) tous les deux contents de leur examen.
- (b) tous les deux déçus par leur examen.
- (c) l'un est plutôt content et l'autre non.

Corinne croit avoir mal fait
- (a) l'exercice 7.
- (b) les statistiques.
- (c) l'exercice 13.

Philippe reconnaît que le jour où la prof leur a annoncé l'examen il
- (a) faisait du bruit en classe ou regardait par la fenêtre.
- (b) regardait par la fenêtre ou jouait avec son portable.
- (c) regardait par la fenêtre ou s'était endormi.

Unité 5
JE SERAIS UN ÉLÉPHANT

1. Complétez ces conseils donnés dans le magazine *Nos meilleurs trucs* avec **du, de la, de l'**, **d', des** ou **de**. Êtes-vous d'accord avec ces conseils ?

POUR ÊTRE UN(E) BON(NE) DIPLOMATE

Il faut avoir .... sang-froid et le sens .... courtoisie.

Il est nécessaire d'avoir .... patience et de ne pas toujours dire ce qu'on pense.

Il vaut mieux ne pas manquer .... tact.

POUR ÊTRE UN(E) PARFAIT(E) SÉDUCTEUR(RICE)

Il faut avoir le sens .... conquête.

Il ne faut pas manquer .... audace.

Il est préférable d'avoir .... charme.

POUR ÊTRE UN(E) BON(NE) CHERCHEUR/EUSE SCIENTIFIQUE

Il faut avoir le goût .... découverte.

Il est recommandé d'avoir ....rigueur.

Il est préférable d'avoir .... persévérance.

POUR ÊTRE UN SPORTIF PROFESSIONNEL

Il faut avoir le goût .... effort.

Il ne faut pas manquer .... discipline.

Il vaut mieux avoir .... courage.

2. À votre avis, quelles sont les qualités nécessaires pour être vendeur/euse dans une animalerie ? Et pour être psychologue pour enfants ?

Pour être vendeur dans une animalerie, il faut :
- être
- avoir
- ne pas avoir
- aimer
- savoir

Pour être psychologue pour enfants, il faut :
- être
- avoir
- ne pas avoir
- aimer
- savoir

3. A. Écoutez ce dialogue entre Sandrine et Julie. Elles parlent de leur nouveau voisin, Eric. Aimeriez-vous le rencontrer ? Pourquoi ?

> Je préférerais rencontrer Eric parce qu'il est séducteur.

B. Écoutez une deuxième fois ce dialogue. À votre avis, quelle profession exerce Eric, le voisin : vendeur dans une animalerie ou psychologue pour enfants ? Pourquoi ?

> Je pense qu'Eric est vendeur parce que...

Il est ....

Il a du/de la ....

Il (ne) manque pas (de)..

Il sait ....

Il n'a pas peur de ....

C. Et vous, quel est le métier qui correspond le mieux à votre caractère ? Expliquez pourquoi en quelques lignes.

> Je pense que je peux être .... parce que
> Je suis ....
> J'ai du / de la ....
>
> Je n'ai pas peur de ....
> Je sais ....
> Je ne manque pas de ....

4. Relisez la section « Comme » à la page 121 du *Livre de l'élève 2* et complétez ces devinettes avec **comme** ou **comment**. Puis essayez de deviner de qui il s'agit.

1. Je ne sais pas **(a)** .... vous dire qui je suis : je suis petit **(b)** .... une fourmi, et je suis vert **(c)** .... une pomme verte et rond **(d)** .... le soleil. On me mange **(e)** .... on veut : à l'eau ou en sauce. En général, on me sert avec les viandes. Qui suis-je ?

2. Il est fort **(a)** .... un bœuf et peut être dangereux. On peut le trouver dans une arène, dans une ferme ou à la campagne, dans les champs. Il a quatre pattes **(b)** .... les éléphants, il n'est pas doux **(c)** .... un agneau. Qui est-ce ?

5. Lisez ces annonces et complétez-les avec les mots qui se trouvent en dessous du cadre.

Les petites annonces

Emploi – Emploi – Emploi

◥ **Lectrice :** Urgent ! Personne malvoyante cherche une lectrice pour lui faire la lecture et rédiger du courrier. Être disponible entre 5 et 9 heures par semaine.
Profil demandé : vous avez .... et .... Vous aimez ....

◥ **Hôte / Hôtesse :** Vous porterez le costume d'un personnage de dessin animé, sympathique et de petite taille (Mickey, lutins, nains) pour distraire enfants entre 1 et 4 ans.
Profil demandé : Vous êtes .... et vous avez ....

◥ **Rieur / Rieuse :** Directeur de théâtre cherche personnes pour déclencher les rires des spectateurs.
Profil demandé : Vous avez .... et ....

◥ **Veilleur de nuit :** Dans un camping, vous veillez au bon déroulement des soirées et vous faites respecter le calme. Vous surveillez les entrées et les sorties des clients.
Profil demandé : sérieux 20/22 ans ou plus. Anglais courant, espagnol exigé. Vous êtes sympathique mais ne manquez pas .... Vous avez ....

◥ **a.** de petite taille (1,60 m maximum)
◥ **b.** le sens du relationnel
◥ **c.** un rire très communicatif
◥ **d.** une jolie voix
◥ **e.** le sens de l'humour

◥ **f.** un excellent contact avec les enfants
◥ **g.** d'autorité
◥ **h.** une excellente prononciation
◥ **i.** la littérature

6. **A.** Écoutez l'interview d'Hélène. Elle parle de son travail : quel est son métier ?

B. Écoutez de nouveau l'interview d'Hélène, pouvez-vous compléter son C.V. ?

Nom : Rocher

Prénom : Hélène

Âge : 23

Adresse : 3 rue du Griffon. 69 001 Lyon.

Num. de téléphone : 04 78 38 93 47

Courriel : helenrocher@wanadoo.fr

Études et formations :

....

....

....

Expériences professionnelles :

....

....

....

Activités extra-professionnelles :

....

....

....

7. **A.** Frédéric a envie d'aller avec Nadia dans un club pour assister à un concert. Voici quelques phrases en désordre qui résument leur histoire. D'abord, placez-les dans l'ordre et ensuite complétez-les avec les pronoms **le, la, les, l', lui, leur**.

> Il lui téléphone pour lui proposer d'aller dans un club, pour assister à un concert.

a. Frédéric .... propose de danser.

b. Il .... commande un diabolo menthe.

c. Elle rencontre une copine et elle .... présente à Frédéric.

d. Ils arrivent au club. Le portier .... ouvre la porte et .... fait entrer.

e. Il .... invite à danser.

f. Il .... attend à la terrasse d'un café.

g. Elle .... propose de s'asseoir.

h. Elle arrive et elle .... fait une bise.

i. Il .... offre une fleur.

B. Imaginez la suite et la fin de cette histoire.

8. Dans cette conversation téléphonique, Francis demande des conseils à Cyril car il veut envoyer un C. V. et une lettre de motivation pour travailler cet été dans une banque. D'abord remplissez les espaces vides par les pronoms qui manquent (**le**, **la**, **les**, **l'**) et ensuite faites un schéma de la lettre de motivation.

- ● Allo ! Cyril ?
- ❍ Ouais ! Salut Francis, comment ça va ?
- ● Bien, mais j'ai besoin de ton aide. Voilà, je voudrais envoyer un C. V. et une lettre de motivation pour travailler dans une banque cet été, et comme tu as l'habitude de voir des C. V., je peux te poser quelques questions ?
- ❍ Oui, pas de problème, si je peux t'aider...
- ● Eh ben, d'abord, qu'est-ce que je mets : « Chère madame, Cher Monsieur » ?
- ❍ Non, le titre, tu **(a)**..............mets au milieu et tu écris : « Madame, Monsieur ». C'est plus neutre et formel.
- ● Okay, et mon adresse, je **(b)**..............mets, en haut, à droite ?
- ❍ Non, l'adresse tu **(c)**..............mets toujours en haut à gauche. Et à droite, l'adresse du destinataire.
- ● D'accord. Autre chose encore : je mets la date à la fin ?
- ❍ Mais non Francis, tu **(d)**..............mets en haut à droite, entre l'adresse du destinataire et le titre.
- ● Bien. Et dans le C. V., je mets tous mes diplômes ?
- ❍ Oui, mets- **(e)**..............tous, du plus récent au moins récent, et les diplômes de langues aussi, ne **(f)**..............oublie pas, c'est de plus en plus important.
- ● Bon, okay, et j'envoie les photocopies de mes diplômes ?
- ❍ Non, ce n'est pas la peine de **(g)**...........envoyer, seulement si on te **(h)**.............. demande, suite à l'entretien.
- ● Ah ! bon ! Une dernière question : la lettre je **(i)**...........écris à la main ou je **(j)**...........tape sur l'ordinateur ?
- ❍ C'est toujours mieux de **(k)**...........écrire à la main, parce que certaines entreprises font une analyse graphologique du candidat. Par contre, le C. V., toujours sur ordinateur et tu **(k)**........... signes de préférence.
- ● Okay, super tu me sauves la vie, bon, je te laisse, à la prochaine !
- ❍ Okay, au revoir, n'hésite pas à me téléphoner si tu as d'autres questions.

9. Associez la définition de la colonne de gauche au mot qui correspond.

ⓐ J'en bois tous les matins	◯ un vélo
ⓑ J'en ai un pour la montagne et un pour la ville	◯ aux fantômes
ⓒ On y va souvent l'été pour se baigner	◯ l'avion
ⓓ On les considère fidèles et bons compagnons	◯ à la plage
ⓔ On le prend en général pour partir	◯ des cadeaux
ⓕ On en offre pour les anniversaires	◯ les chiens
ⓖ On en voit la nuit quand le ciel est clair	◯ aux grand-mères
ⓗ Les Français la mangent sur du pain au petit déjeuner	◯ du thé
ⓘ On leur doit les meilleures recettes de cuisine	◯ des étoiles
ⓙ Quand on y pense, ils nous font peur	◯ la confiture

10. Complétez le courriel de Claude à Isabelle avec les pronoms compléments **me, te, le, l', nous, vous** et **lui**.

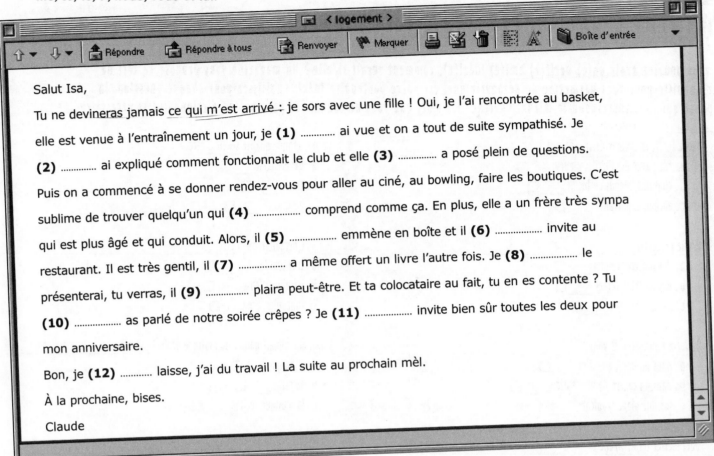

Salut Isa,

Tu ne devineras jamais ce qui m'est arrivé : je sors avec une fille ! Oui, je l'ai rencontrée au basket, elle est venue à l'entraînement un jour, je **(1)** .... ai vue et on a tout de suite sympathisé. Je **(2)** .... ai expliqué comment fonctionnait le club et elle **(3)** .... a posé plein de questions. Puis on a commencé à se donner rendez-vous pour aller au ciné, au bowling, faire les boutiques. C'est sublime de trouver quelqu'un qui **(4)** .... comprend comme ça. En plus, elle a un frère très sympa qui est plus âgé et qui conduit. Alors, il **(5)** .... emmène en boîte et il **(6)** .... invite au restaurant. Il est très gentil, il **(7)** .... a même offert un livre l'autre fois. Je **(8)** .... le présenterai, tu verras, il **(9)** .... plaira peut-être. Et ta colocataire au fait, tu en es contente ? Tu **(10)** .... as parlé de notre soirée crêpes ? Je **(11)** .... invite bien sûr toutes les deux pour mon anniversaire.

Bon, je **(12)** .... laisse, j'ai du travail ! La suite au prochain mèl.

À la prochaine, bises.

Claude

11. A. Écoutez cette conversation entre Carine et sa sœur Sylvie et lisez en même temps la transcription de l'enregistrement. Que remarquez-vous par rapport aux mots en gras ?

> ● Tu **me le** prêtes, ton baladeur ?
> ○ Non, **je ne te** le prête pas !
> ● Pourquoi ?
> ○ Parce que tu vas **le perdre.**
> ● Bon, alors si tu ne **me le** prêtes pas, je **le dis** à maman !
> ○ Oh là là ! Bon, si tu lui dis, je te donne une claque.
> ● Si tu **me donnes** une claque **je ne te** parle plus.
> ○ Super ! Ça **me fera** des vacances !

B. Parfois à l'oral le **e** de l'article **le** et des pronoms **je**, **me**, **te**, **le** disparaît en français du Nord de la France. On parle alors de l'élision du **e**. Réécoutez l'enregistrement et barrez les **e** qui ne sont pas prononcés.

12. Lisez ces phrases. D'après les règles énoncées ci-dessus, pourriez-vous rayer les **e** qui sont élidés à l'oral dans un langage familier ? Ensuite, écoutez l'enregistrement et vérifiez.

1. Je pars en avion demain pour le Tibet.
2. Tu te trompes, c'est incorrect.
3. Vous ne le comprenez pas.
4. Tu me le donnes, ton stylo ?
5. Tu regardes les films en version originale ?
6. Je le vois tous les jours à l'arrêt de bus.

PORTFOLIO

13. **A.** À vous de compléter ce test de personnalité.

COMMENT SERAIT VOTRE PARTENAIRE IDÉAL/E ?

Si vous pouviez avoir un(e) petit(e) ami(e) idéal(e), comment serait-il/elle ? Un magazine vous propose ce test de personnalité pour vous permettre de découvrir quel est votre partenaire idéal. Choisissez pour chaque question, la réponse qui vous correspond le mieux. Cherchez les mots que vous ne connaissez pas dans un dictionnaire si nécessaire.

1. Quelle serait la couleur de ses cheveux ?
- **a.** roux avec des mèches bleues ____ ○
- **b.** châtains, blonds ou bruns ____ □
- **c.** aucune importance ____ ▲

2. Il/elle porterait…
- **a.** des lunettes rondes ____ ○
- **b.** des lunettes vertes ____ □
- **c.** pas de lunettes ____ ▲

3. Où le/la rencontreriez-vous ?
- **a.** dans un hôtel 3 étoiles ____ ○
- **b.** dans un centre de méditation ____ □
- **c.** sur une plage tropicale ____ ▲

4. Quel métier ferait-il/elle ?
- **a.** jardinier ____ ○
- **b.** grand reporter pour un magazine d'aventure ____ □
- **c.** conseiller en image ____ ▲

5. S'il/ si elle vous offrait un cadeau pour votre anniversaire ce serait…
- **a.** un hamac ____ ○
- **b.** une montre en or ____ □
- **c.** un vélo tout terrain ____ ▲

6. Sa plus grande qualité serait d'être…
- **a.** généreux/se ____ ○
- **b.** fidèle ____ □
- **c.** perspicace ____ ▲

7. Son pire défaut serait d'être…
- **a.** menteur/euse ____ ○
- **b.** gaspilleur/euse ____ □
- **c.** rancunier/ère ____ ▲

8. S'il/Si elle aimait danser, sa musique préférée serait…
- **a.** le tango ____ ○
- **b.** la salsa ____ □
- **c.** la musique techno ____ ▲

9. S'il/Si elle jouait d'un instrument, il/elle jouerait…
- **a.** de la batterie ____ ○
- **b.** du piano ____ □
- **c.** de la harpe ____ ▲

10. Son passe-temps favori serait…
- **a.** la lecture ____ ○
- **b.** les échecs ____ □
- **c.** le parachutisme ____ ▲

B. Additionnez les ○, les □ et les ▲ afin de savoir comment serait votre partenaire idéal.

Si vous avez un maximum de ○ :

Le/la partenaire idéal/e pour vous serait quelqu'un d'original et alternatif, attiré/e par le monde mystique et la philosophie. Il/elle aimerait tout ce qui ne ressemble pas à la routine et serait rebelle et épris/e de liberté. Il/elle militerait dans les ONG et voterait écologiste. Son look serait raffiné sans être snob. Il/elle serait parfois intransigeant/e mais toujours tendre.

Si vous avez un maximum de □ :

Votre partenaire idéal/e serait un peu intellectuel/le, avec un goût poussé pour l'aventure et les pays exotiques. Il/elle aurait le sens de l'honneur et serait peut-être un peu possessif/ive. Mais elle/il ne manquerait pas de charme et de fantaisie. (comme vous, votre ami(e) accorderait une grande importance aux loisirs.

Si vous avez un maximum de ▲ :

Votre partenaire idéal/e aurait un goût pour l'ordre et serait très détailliste. Il/elle n'admettrait pas la moindre erreur et serait d'une grande ponctualité. Elle/il aurait un goût pour le luxe et serait très entrepreneur/euse, un peu battante(e). La personne serait très douée pour les relations publiques. Le travail et la famille seraient les points forts de votre relation.

C. Après avoir lu le résultat du test, que changeriez-vous au portrait de votre ami/e idéal/e ?

Mon/ma partenaire serait plutôt ………………… ne serait pas, aurait ………………… n'aurait pas …………………

14. **A.** Lisez ces rédactions écrites par des étudiants. Dans les deux derniers textes, les apprenants ont oublié de conjuguer les verbes, pouvez-vous les aider ?

A

Si j'étais un fantôme, je **passerais** à travers les murs et j'**observerais** la vie de mes voisins. Je **dormirais** le jour et je **voyagerais** la nuit dans des pays à quatre dimensions. Je **jouerais** à faire peur aux bandits qui cambriolent les banques, et j'**apparaîtrais** sur les écrans de télévisions au moment des informations. Je **terroriserais** les enfants et j'**entrerais** gratuitement dans les cinémas et les théâtres.

B

Si j'étais magicien, je .... (TRANSFORMER) les forêts en rivières et les rivières en océans.

Je .... (PRENDRE) une cape invisible et je me

.... (METTRE) dedans. Je .... (ALLER)

au pays des sorcières, et je .... (FAIRE) une

grande fête dans un château pour tous les magiciens du

monde.

C

Si nous étions des animaux, nous .... (VIVRE) sous la terre l'hiver et au printemps, nous .... (SORTIR) de notre abri pour respirer l'odeur des fleurs. Nous ....

(AVOIR) des ailes pour voler, des pattes pour courir et des

nageoires pour nager. Nous .... (ÊTRE) grands

comme l'éléphant, agiles comme le guépard et malins comme

le renard. Nous .... (ÉVITER) de nous trouver parmi

les hommes.

B. Et vous, qu'aimeriez-vous être ? Que feriez-vous ?

Si j'étais .... je ....

15. **A.** Smaïn passe un entretien d'embauche. Pouvez-vous retrouver les réponses de Smaïn qui correspondent aux questions que lui pose le chef du département des ressources humaines ?

A. Si vous deviez choisir entre un bon salaire pour un travail qui ne vous intéresse pas ou un salaire moyen pour un travail qui vous intéresse, que choisiriez-vous ?

B. Pourquoi avez-vous postulé pour cet emploi ?

C. Quelle est votre expérience professionnelle ?

D. Qu'attendez-vous de vos employeurs ?

E. Depuis combien de temps vous travaillez ?

F. Quelles sont vos plus grandes qualités ?

G. Qu'est-ce que vous devriez améliorer pour être encore plus performant ?

H. Comment réagiriez-vous si vous voyiez quelqu'un se faire voler son sac dans le métro ?

I. Si quelqu'un vous insultait en public, comment réagiriez-vous ?

J. Si vous étiez premier ministre, quelle serait votre priorité ?

Depuis 6 ans.

Franchement, je ne sais pas, ce ne doit pas être facile, je n'aimerais pas exercer cette profession.

Peut-être la courtoisie, oui, parfois je ne suis pas assez courtois avec mes clients, mais avec moi, ils sont hors de danger, ils ne craignent rien.

Je le laisserais continuer et passerais mon chemin sans lui prêter attention.

J'ai travaillé trois ans comme gardien chez Trutex, puis j'ai été garde du corps de Liliane Jer.

Je ferais semblant de ne rien voir, puis je saisirais les malfaiteurs en leur sautant dessus.

Le respect et la reconnaissance.

Ni l'un, ni l'autre, je préfère un bon salaire et un métier intéressant.

Je suis honnête, souple et rapide.

Parce que j'aime ce métier, on se sent responsable et il y a une part de risque.

16. **A.** Lisez les portraits de ces trois personnes. Comparez-les puis complétez les phrases.

Jonathan _____
Il a 27 ans et est chômeur. Il touche les allocations chômage. Avant, il travaillait comme camionneur et transporteur pour l'entreprise Pacro. Il est très bricoleur et parfois travaille pour des amis : il fait des travaux, repeint des pièces, répare les machines à laver et aussi les ordinateurs. Il passe beaucoup de temps à surfer sur Internet. Jonathan aime jouer aux cartes, se lever tard et sortir le soir. Il a très bon caractère, il a beaucoup de patience, surtout avec ses petites copines, mais il manque parfois d'initiative. Même s'il déteste les repas de famille, c'est un excellent cuisinier.

_____ **Jérôme**
Il a un chien, Fido, qui est son grand ami. Il adore faire des promenades dans la campagne avec lui. Jérôme est un excellent alpiniste et il est guide de montagne pendant l'été et professeur de ski en hiver. Il restaure une vieille maison dans les Pyrénées pour en faire un refuge. Jérôme a beaucoup voyagé, il a 31 ans et il ne souhaite pas se marier. Pourtant, il adore les enfants et aimerait en avoir, mais il doute de pouvoir un jour rencontrer la femme de sa vie, car il n'a pas bon caractère. Cependant il est très sociable, il adore faire la cuisine pour ses amis et organise en hiver des soirées contes.

Jean-Michel _____
Il a 40 ans, il est divorcé et père de deux enfants. Jean-Michel habite en ville à Nîmes. Il adore la vie citadine. Il a hérité une fortune de sa marraine et il s'est acheté un voilier, il y a deux ans. Le week-end, il emmène ses enfants faire de la voile près de Montpellier. Il travaille dans une librairie et adore les vieux livres, mais il pourrait très bien vivre sans travailler. Il aime dessiner lorsqu'il a le temps. Jean-Michel est assez solitaire, il part parfois plusieurs jours seul en mer. En général, il a beaucoup de succès auprès des femmes. Il n'est absolument pas bricoleur, et n'a pas beaucoup de talent pour la cuisine. Mais il est expert dans l'art des plats surgelés.

↘ **a.** Jean-Michel est .... charmeur que Jérôme.

↘ **b.** Jonathan est .... cuisinier que Jean-Michel.

↘ **c.** Jean-Michel est .... riche que Jonathan.

↘ **d.** Jérôme est .... bricoleur que Jean-Michel.

↘ **e.** Jonathan a .... caractère que Jean-Michel.

↘ **f.** Jonathan et Jérôme sont .... joueurs l'un que l'autre.

↘ **g.** Jérôme est .... solitaire que Jean-Michel.

↘ **h.** Jean-Michel est .... sociable que Jonathan.

↘ **i.** Jérôme aime .... Internet que Jonathan.

↘ **j.** Jonathan est .... sportif que Jérôme.

B. Relisez dans les rubriques « Comparer une qualité » et « Comparer une quantité » du *Livre de l'élève 2* (pages 121-122). Pouvez-vous expliquer pourquoi on met **aussi** dans la phrase **h** et **autant** dans la phrase **i** ?

C. Lequel des trois est, à votre avis, susceptible de répondre à l'annonce ci-dessous ? Pourquoi ?

↘ **Jeune femme dynamique et sportive**
Passionnée par la nature et par les activités de plein air
Aventurière et indépendante
Cherche homme même style, 25-35 ans
Si possible fortuné, avec sens de l'humour et non fumeur.
Écrire : B.P. 25/35

D. Et vous ? Écrivez en quelques lignes quel serait le type de personne que vous aimeriez rencontrer :

Il/elle serait aussi .... que Jonathan, aussi .... que Jérôme, aussi .... que Jean-Michel.

Elle serait moins .... que .... et plus .... que .... et elle aimerait autant

.... que ....

17. **A.** À quelle situation correspondent ces phrases ? Placez les dialogues dans les bulles.

1:
● Bien, alors vous comprenez ? la formule est simple.

2:
● Bonjour Madame Legrand, vous allez bien ?
○ Oui, Marie Laure et vous ?
● Oh, très bien, merci, mais j'ai beaucoup de travail. Si vous voulez, venez prendre le dessert demain avec nous, je fais une tarte aux fraises.
○ Bien, c'est gentil, je passerai, je vous le promets.

3:
● Alors qu'est-ce que tu veux ?
○ Je voudrais une glace à la vanille.
● Tu es sûr ?
○ Oui.

4:
● Alors, Patrick, vous avez fait des études littéraires ?
○ Oui, après mon bac, j'ai obtenu une maîtrise de philosophie et j'ai commencé un doctorat.
● Bien, et avez-vous une expérience professionnelle dans l'édition ?

5:
● Comment allez-vous Robert ?
○ Très bien et vous ? Cela faisait longtemps qu'on ne s'était pas vu, pas vrai ?
● Oui, alors, expliquez-moi tout, comment avez-vous réussi à conquérir ces nouveaux marchés ?

6:
● Sandrine, ça te dirait d'aller en Grèce en vacances avec moi cet été ?
○ Oui, justement je voulais parler des vacances.

7:
● Alors, tu viens faire un tour en vélo avec moi ?
○ Ouais, on va où ?
● Ben, chez Julie, elle nous attend pour partir en pique-nique.

8:
● Bonjour, Bertrand, alors ces ventes ?
○ Eh bien, Monsieur le Directeur... ce n'est pas brillant... en effet...
● Comment Bertrand ? Vous n'allez tout de même pas me dire que les ventes ne vont pas bien ?

B. Pouvez-vous dire pourquoi on utilise **tu** ou **vous** dans chacune de ces situations ?

	Dialogue numéro :	Tu ou vous ?
rapport entre personnes d'une même famille		
rapport hiérarchique ou d'autorité		
respect pour une personne âgée		
rapport d'amitié		
quand on s'adresse à plusieurs personnes		
on marque une distance		

Vos stratégies pour mieux apprendre

18. A. Écoutez ces deux textes une première fois. Ensuite, écoutez-les de nouveau et marquez les liaisons, élisions et autres phénomènes phonétiques que vous remarquez. Qu'est-ce qui a changé dans le texte ?

Bonjour, je m'appelle Lucie, j'ai 33 ans et je suis sans emploi. En fait, j'ai perdu mon emploi parce que l'entreprise a licencié un tiers du personnel. Maintenant je n'ai plus de domicile fixe. C'est assez banal en soi, mais il y a beaucoup plus de personnes dans mon cas que vous ne le croyez.

Je suis un peu révoltée de voir que quand on va mal, il y a peu de chances de s'en sortir. J'essaie de trouver du travail, mais c'est difficile quand on envoie un curriculum sans adresse. J'ai laissé l'adresse de mon frère et son numéro de téléphone, mais je ne peux pas habiter chez lui, il a une famille nombreuse, alors je passe de temps en temps voir si on a appelé, mais rien, il n'y a jamais rien. Une fois, on m'a appelé, mais quand j'ai rappelé trois jours plus tard, le poste était déjà occupé. Oh ! je ne perds pas espoir, un jour je trouverai du travail !

Bonjour, j' m'appelle Lucie, j'ai 33 ans et j' suis sans emploi. En fait, j'ai perdu mon boulot parc' que la boîte a viré un tiers du personnel. Maint'nant j'ai plus de domicile fixe. C'est assez banal en soi, mais y a beaucoup plus d' personnes dans mon cas que vous l' croyez.

J' suis un peu révoltée d' voir que quand on va mal, y a peu d' chances d' s'en sortir. J'essaie d' trouver un boulot, mais c'est difficile quand on envoie un curriculum sans adresse. J'ai laissé l'adresse de mon frère et son numéro d' téléphone, mais j' peux pas habiter chez lui, il a une famille nombreuse, alors j' passe de temps en temps pour voir si on a appelé, mais rien, y a jamais rien. Une fois, on m'a appelé, mais quand j'ai rappelé trois jours plus tard, l' poste était déjà pris. Oh ! j' perds pas espoir, un jour j' trouverai du travail !

B. Comparez ces deux personnages : comment les imaginez-vous ? Pourquoi ?

Je crois que le premier personnage est ....
plus que le deuxième parce que ....
moins que...qu'il vient de ....

STRATÉGIE

Un même texte, peut, selon la façon dont il est dit, permettre de situer socialement celui qui le dit. À part le langage familier, l'argot et les registres de langues, la façon dont on procède à l'élision du **e** peut permettre de situer socialement un individu. Au théâtre, pour interpréter des personnages on joue sur cette technique pour obtenir plus de crédibilité et donner une dimension socio-culturelle au personnage.

Entraînons-nous au DELF

LE DELF B1. COMPRÉHENSION DES ÉCRITS

19. **A.** Voici quatre annonces d'offre d'emploi de l'Agence nationale pour l'emploi (ANPE). Un ami à vous veut profiter de ses deux mois de vacances cet été pour travailler dans un hôtel ou un restaurant (mais pas du style manger rapide) et ainsi améliorer son français. Il aimerait bien être logé. Il a déjà travaillé dans un bar la saison dernière. Il veut savoir clairement ce qu'il va gagner et il aime le travail en équipe. Cochez pour chaque annonce les caractéristiques qui conviennent le mieux aux souhaits de votre ami.

Offre 4 sur 25

Numéro d'offre 121368   Offre actualisée le 07/03/07

SERVEUR(EUSE) DE RESTAURANT POLYVALENTE H/F

MISE EN PLACE DE LA SALLE ACCUEIL DES CLIENTS, SERVICE AU PLAT (AIDE À LA PLONGE + AIDE EN CHAMBRE) CONTRAT JUILLET ET AOÛT VOIR PLUS

Lieu de travail	64, Ascain
Type de contrat	Contrat travail saisonnier de 2 mois
Nature d'offre	Emploi saisonnier
Expérience	Souhaitée d'un an ou une saison
Formation et connaissances	Possibilité de logement
Autres connaissances	
Qualification	Employé(e) qualifié(e)
Salaire indicatif	Horaire 8 euros
Durée hebdomadaire de travail	35 h hebdo
Déplacements	
Taille de l'entreprise	6 à 9 Salariés
Secteur d'activité	Restauration / hotellerie

Offre 2 sur 25

Numéro d'offre 161168

SERVEUR/SE LIMONADIÈRE H/F
Offre actualisée le 10/03/07

SERVICE AU PLATEAU. GROS WEEK-END ET TEMPS PLEIN EN SAISON (RESTAURANT TRADITIONNEL).

Lieu de travail	40, Soustons
Type de contrat	Contrat travail saisonnier de 4 mois
Nature d'offre	Emploi saisonnier
Expérience	Exigée (1 an)
Formation et connaissances	
Autres connaissances	
Qualification	Employé(e) qualifié(e)
Salaire indicatif	à débattre
Durée hebdomadaire de travail	39 h hebdo
Déplacements	
Taille de l'entreprise	9 Salariés
Secteur d'activité	Restauration

Offre 3 sur 25   Offre actualisée le 25/02/07

Numéro d'offre 161368

SERVEUR(EUSE) DE RESTAURANT H/F

2 POSTES À POURVOIR DONT UN POLYVALENT RESTAURANT/BAR. SERVICE À L'ASSIETTE POUR L'AUTRE.

Lieu de travail	40, Vielle-Saint-Girons
Type de contrat	Contrat travail saisonnier de 3 mois
Nature d'offre	Emploi saisonnier
Expérience	Exigée de 4 à 6 mois en saison
Formation et connaissances	
Autres connaissances	
Qualification	Employé(e) qualifié(e)
Salaire indicatif	à débattre
Durée hebdomadaire de travail	39 h hebdo
Déplacements	
Taille de l'entreprise	6 à 9 Salariés
Secteur d'activité	Restauration de type rapide

Offre 1 sur 25

Numéro d'offre 161278   Offre actualisée le 02/11/07

EMPLOYÉ(E) POLYVALENT(E) DE RESTAURATION H/F

VOUS TRAVAILLEREZ JUILLET ET AOÛT DANS UN RESTAURANT. VOUS DEVEZ ÊTRE POLYVALENT(E) EN SERVICE ET MÉNAGE.

Lieu de travail	40, Cap-Breton
Type de contrat	Contrat travail saisonnier de 2 mois
Nature d'offre	Emploi saisonnier
Expérience	Exigée d'un an en hôtellerie ou restauration
Formation et connaissances	
Autres connaissances	
Qualification	Employé qualifié
Salaire indicatif	Mensuel 1 485,34 euros (9 743,19 F) + Avantages en nature
Durée hebdomadaire de travail	39 h hebdo
Taille de l'entreprise	5 Salariés
Secteur d'activité	Restauration

	Restaurant hotel	Durée du contrat	Expérience non exigée	Logement	Travail en équipe	Salaire clair
Annonce 1						
Annonce 2						
Annonce 3						
Annonce 4						

B. Quelle offre lui conseillez-vous ?

PRODUCTION ÉCRITE

Le sujet ne doit pas vous effrayer ! On ne vous demande pas des données précises de spécialistes...
À la différence de la lettre d'opinion, ici, vous ne devez pas donner votre avis. Par contre, vous devez impérativement respecter le type de plan décrit dans l'Unité 2.

20. Vous écrivez un article pour un magazine francophone sur la situation de l'emploi dans votre pays (160 a 180 mots).

Introduction

Développement

Conclusion

Unité 6
JE NE SUIS PAS D'ACCORD !

1. À partir des deux phrases proposées, écrivez-en une seule en utilisant le pronom relatif **dont**.

> Tu parles d'un **reportage**. Ce **reportage** a obtenu un prix international.
> Le reportage <u>dont</u> tu parles a obtenu un prix international.

a. Il achète un magazine télé. Les critiques de cinéma de ce magazine sont très intéressantes.

....

b. Tu parles d'un présentateur de la météo. Ce présentateur a l'air très sympa.

....

c. Des émissions sont éliminées. Le taux d'audience de ces émissions n'atteint pas 10%.

....

d. Ce soir je vais regarder un film. La critique ne dit que du bien de ce film.

....

e. Ce feuilleton est déjà passé plusieurs fois à la télé. Le succès de ce feuilleton est immense.

....

f. Henri Chaban est le présentateur d'une émission. Cette émission est suivie par des millions de téléspectateurs.

....

g. Il connaît une fille. Son frère est passé à la télé l'autre jour.

....

h. La critique a très bien parlé d'un film. Ce film passera demain soir sur la 2.

....

i. J'ai un ami. Son frère est un acteur très célèbre.

....

2. **A.** Complétez les phrases suivantes en utilisant le pronom relatif qui convient (**qui**, **que**, **dont**, **où**).

a. Nous en avons assez des gens .... nous critiquent parce que nous regardons la télé.

b. Les émissions .... passent à minuit sont parfois très intéressantes.

c. En France, le journal télévisé .... les Français regardent le plus passe à 20 heures.

d. Il y a de plus en plus de jeux à la télé .... les spectateurs peuvent gagner des millions.

e. Je trouve que les feuilletons .... on diffuse l'après-midi sont trop violents.

f. Au temps .... la télé n'existait pas, les gens s'amusaient autrement.

g. Les enfants .... Marie-Laure garde sont devant la télé toute la journée.

i. Les parents .... interdisent à leurs enfants de regarder la télé ont tort.

j. Le film............................. tu parles a déjà été diffusé une dizaine de fois.

B. À votre tour, donnez votre opinion en cinq phrases sur la télé de votre pays en utilisant des pronoms relatifs simples.

3. **A.** Voici une liste de mots en rapport avec le monde de la télévision. Retrouvez ceux correspondant à la définition qui vous est proposée.

émissions

pub*   téléfilm   audimat   zapping

grille des programme   feuilleton   chaîne   écran   rediffusion (redif)

magazine (mag)   télécommande   journal télévisé (JT)

> Elle interrompt (trop) souvent les films à la télé : *la pub*.

a. Au cinéma, on dit qu'il est grand ; à la télé, qu'il est petit : ....

b. Il y a l'alimentaire ; il y a celle du prisonnier ; il y a celle de fabrication et il y a aussi celle de télévision : ....

c. Il y en a de bonnes et beaucoup de mauvaises : ....

d. C'est ce qu'on fait quand on change en permanence de chaîne : ....

e. Généralement on l'utilise pour faire du zapping : ....

f. Cette mesure justifie la permanence (ou la disparition !) de toutes les émissions : ....

g. Ils abordent des sujets d'actualité : ....

LEXIQUE :

- **Pub** = mot abrégé conformément à l'usage habituel (à l'oral et à l'écrit) de publicité.

B. À votre tour, proposez une définition pour les cinq mots restants :

:: ....

:: ....

:: ....

:: ....

:: ....

4. **A.** Indicatif, subjonctif ou infinitif ? Complétez les phrases en cochant la case qui convient.

Je souhaite
☐ que tu réussisses tes examens.
☐ que tu réussis tes examens.

C'est possible
☐ que les enfants restent à la maison.
☐ que les enfants restaient à la maison.

Je suis sûr
☐ que tu viennes.
☐ que tu viendras.

Il aimerait
☐ que nous participions à sa fête.
☐ que nous participons à sa fête.

Je ne crois pas
☐ que je puisse venir.
☐ pouvoir venir.

Je ne pense pas
☐ que vous connaissiez cette personne.
☐ que vous connaissez cette personne.

B. À partir de l'exercice ci-dessus, complétez ce tableau pour vérifier vos connaissances sur le subjonctif.

	VRAI	FAUX
Le subjonctif s'élabore à partir de l'imparfait.		
En règle générale, on utilise la 3ème personne du pluriel de l'indicatif présent pour construire le subjonctif (sauf pour **nous** et **vous**).		
Il n'y a pas de verbes irréguliers au subjonctif.		
Au subjonctif, on utilise les formes de l'imparfait pour **nous** et **vous**.		
Après les verbes d'opinion, on utilise systématiquement le subjonctif.		
Si le sujet de la proposition subordonnée est le même que celui de la principale, on utilise l'infinitif.		
L'obligation, la possibilité, le souhait entraînent le subjonctif.		

5. Transformez les phrases suivantes selon le modèle.

Fais tes devoirs ! ——————————➤ Il veut que tu fasses tes devoirs.

a. Soyez sages ! ——————————➤ Le maître veut que les enfants .... sages.

b. Je ne peux pas venir. ——————————➤ Nous ne croyons pas qu'il .... venir.

c. Allez au guichet 3. ——————————➤ L'employé veut qu'ils .... au guichet 3.

d. Nous ne pouvons pas vous accompagner. ——————➤ Nous ne pensons pas qu'ils .... nous accompagner.

e. Tu dois savoir parler français pour cet emploi. ——➤ Il faut que tu .... parler français pour cet emploi.

f. Faites ce travail pour la semaine prochaine. ——➤ Il veut que nous .... ce travail pour la semaine prochaine.

g. Nous avons une voiture. ——————————➤ Nous aimerions bien que vous .... une voiture.

h. L'entrée du concert vaut 15€. ——————————➤ Je ne crois pas qu'elle .... si peu.

6. Associez la colonne A à la colonne B en faisant attention aux formes verbales proposées (**indicatif** / **infinitif** / **subjonctif**).

A	**B**
1 Je crois	◯ qu'il est parti.
2 Tu devrais	◯ d'être présents à la réunion.
3 Nous voulons	◯ d'être prête pour 10 heures.
4 Il ne pense pas	◯ qu'il aille en colonie pendant les vacances.
5 Il nous demande	◯ qu'il fasse ses devoirs.
6 Sandrine souhaite	◯ que ce soit une bonne idée.
7 J'espère	◯ que nous irons à la plage.
8 Il dit	◯ que nous sachions comment aller chez lui.
9 Il lui a dit	◯ que tu es content.
10 Il faut	◯ venir avec nous.

7. Écoutez cet extrait de l'émission radiophonique, « Parlons-en » avec Jérôme Lavenue et remplissez le tableau suivant.

Thème du débat:	
Les invités :	**Ils sont :**
M. Echevin	
Mme Delarche	
Mlle Fiachetti	
	Leurs opinions :
M. Echevin	
Mme Delarche	
Mlle Fiachetti	

8. Écoutez ces phrases à propos de la télévision. Dans leur transcription, des erreurs se sont glissées. Essayez de les corriger.

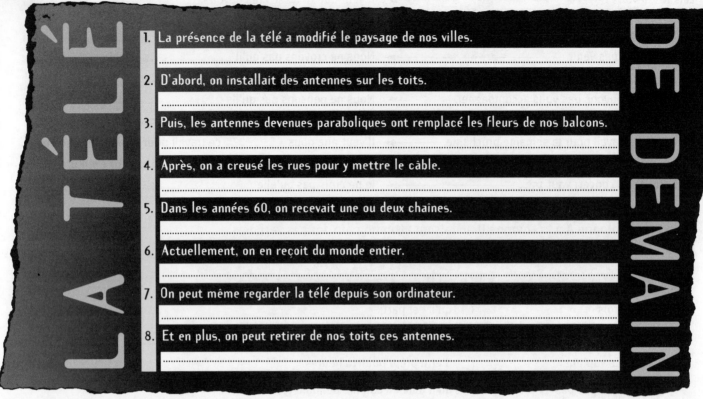

LA TÉLÉ DE DEMAIN

1. La présence de la télé a modifié le paysage de nos villes.

2. D'abord, on installait des antennes sur les toits.

3. Puis, les antennes devenues paraboliques ont remplacé les fleurs de nos balcons.

4. Après, on a creusé les rues pour y mettre le câble.

5. Dans les années 60, on recevait une ou deux chaînes.

6. Actuellement, on en reçoit du monde entier.

7. On peut même regarder la télé depuis son ordinateur.

8. Et en plus, on peut retirer de nos toits ces antennes.

9. Mettez la première partie de la phrase à la forme négative et effectuez les changements nécessaires dans le reste de la phrase.

> ➕ Je suis sûr que cette émission sera diffusée à une heure de grande audience.
>
> ➖ Je ne suis pas sûr que cette émission soit diffusée...

a. ➕ Les spectateurs pensent que la chaîne doit augmenter la publicité pendant les films.
➖ ....

b. ➕ La direction de la chaîne trouve qu'il faut supprimer les reality-shows.
➖ ....

c. ➕ Je suis certain qu'il veut regarder ce reportage.
➖ ....

d. ➕ Le présentateur est persuadé que son émission a une excellente audience.
➖ ....

e. ➕ Je crois que cette présentatrice va travailler sur une autre chaîne.
➖ ....

f. ➕ Nous sommes convaincus que ce feuilleton repassera.
➖ ....

g. ➕ Je considère que ce dessin animé s'adresse aux enfants.
➖ ....

h. ➕ Il me semble que le journal télé de 20 h est très complet.
➖ ....

i. ➕ J'ai l'impression que les chaînes font des efforts pour améliorer leurs programmes.
➖ ....

10. Voici deux opinions opposées à propos la télévision.

OPINION
« On devrait interdire la télé aux enfants »

OPINION
« LA TÉLÉ EST BIEN PLUS FORMATRICE QUE L'ÉCOLE »

Choisissez celle dans laquelle vous ne vous reconnaissez absolument pas et... défendez-la ! Vous allez écrire un petit article où vous exposerez les arguments qui justifient votre position (40 à 75 mots).

11. Quels connecteurs utiliseriez-vous pour relier ces phrases ?

• car   • d'ailleurs   • en effet   • par conséquent   • c'est-à-dire   • par contre   • même si

a. Je déteste les reality-shows	*par contre*	j'adore les reportages d'actualité d'Arte.
b. Les chaînes thématiques attirent de plus en plus de spectateurs		le taux d'audience des chaînes sportives, par exemple, a doublé cette année.
c. La télé continue à couper les films		le public souhaite que disparaissent ces interruptions.
d. La télé occupe une place centrale dans nos vies		que nous passons trop de temps à la regarder.
e. Les émissions de télé sont de moins en moins intéressantes		j'ai acheté un lecteur DVD
f. Les gens en ont ras-le-bol de la télé-poubelle		la chute de l'audience le montre bien.
g. Le directeur des programmes a décidé de reconduire ce concours de chansons		l'émission a battu tous les records d'audience l'année dernière.

12. **A.** Complétez le texte avec les connecteurs suivants :
car, par conséquent, on sait que, même si, d'une part / d'autre part, d'ailleurs, en effet, c'est-à-dire, par contre, au contraire.

Enfin une chaîne bilingue français... - breton !

Par F. Louarnig

.... il existe la chaîne franco-allemande ARTE. Ses émissions sont soit dans la langue de Goethe soit dans celle de Molière. ...., il n'y avait pas de chaîne en basque, en corse, etc. Depuis l'an 2000, c'est chose faite pour le breton qui a lui aussi sa place dans le paysage audiovisuel français. ...., la chaîne TV Breizh a enfin vu le jour. .... sa présence y est encore modeste, c'est déjà un grand pas en avant.

Cette nouvelle chaîne s'est fixé deux grands objectifs : ...., un objectif économique en voulant se situer parmi les chaînes les plus regardées en Bretagne et ...., participer activement à la reconnaissance et à la diffusion de la langue et de la culture bretonnes. ...., les émissions en breton abordent tous les sujets (la politique, le sport, l'économie, etc.) .... il ne s'agit pas de reproduire les clichés diffusés sur d'autres chaînes, ... éviter les reportages sur le passé. ...., il s'agit d'émettre des sujets de société, diffuser des dessins animés et même des films doublés !

On ne peut que regretter que cette chaîne ne soit présente que dans le bouquet numérique. ...., il y a peu d'habitants de la Bretagne qui la regardent alors que les Bretons de l'extérieur sont nombreux à en profiter.

B. À votre tour, écrivez un petit texte dans lequel vous réemploierez ces différents mots. Vous pouvez présenter une chaîne de télévision de votre pays. Vous pouvez la choisir pour son originalité, la langue qu'elle utilise, les émissions qu'elle diffuse…

13. Placez dans le tableau suivant les expressions qui traduisent notre sentiment face à l'opinion des autres.

:: Tu crois (ça) ?
:: Tout à fait
:: C'est possible
:: Certainement
:: Je n'en suis pas si sûr
:: Je n'y crois pas, moi
:: Évidemment
:: C'est clair
:: Bien sûr
:: Mais pas du tout
:: Sans doute
:: Sans aucun doute
:: Je suis carrément contre
:: Pourquoi pas, mais…
:: Absolument

Être d'accord	Douter / Être sceptique	Être en désaccord
C'est clair		

14. Écoutez ces opinions et la réaction qu'elles provoquent puis indiquez dans le tableau ci-dessous si celle-ci exprime l'accord ou le désaccord.

		ACCORD	DÉSACCORD
1. En France, si on veut aller à l'université, on doit avoir le bac ?	Tout à fait		
2. La solution : installer des péages à l'entrée des villes pour les voitures particulières.			
3. Ce n'est pas en augmentant le prix du tabac que les gens arrêteront de fumer.			
4. Monsieur Dupont, vous devriez changer de stratégie commerciale.			
5. L'euro a provoqué une augmentation du coût de la vie			
6. Et vous croyez que la tendance à la hausse du prix du pétrole va continuer ?			
7. On devrait augmenter le nombre de jours fériés dans l'année.			

15. Comment sera la télé du futur ? Essayez d'imaginer comment elle évoluera (utilisez les verbes et expressions de l'opinion). Pour vous aider, voici quelques verbes évoquant une éventuelle évolution : **augmenter**, **empirer**, **s'améliorer**, **disparaître**, **changer**, **remplacer**, **continuer à** + infinitif, **s'imposer**, **provoquer**, **toucher**…

Je crois qu'elle… / Je ne crois pas qu'elle…

Vos stratégies pour mieux apprendre

16. **A.** Lisez ces phrases et observez les trois expressions en caractères gras.

C'EST un pays en voie de développement. **Néanmoins**, son industrie est compétitive et il a une grande stabilité politique.

Ce produit pollue énormément. **Néanmoins**, beaucoup de pays ne l'ont pas encore interdit.

Lors du dernier sommet international sur les changements climatiques, les grandes puissances ne sont arrivées à aucun accord sur la diminution des émissions de CO_2 ; **par conséquent** les pays industrialisés disposeront de 4 ans de plus —jusqu'à la prochaine réunion— pour adapter aux normes leurs industries les plus polluantes.

Nous savons que les pesticides sont nocifs pour la santé ; **par conséquent** nous devons les interdire immédiatement.

Les lois sont maintenant plus dures et les juges, plus sévères. **Il s'ensuit** que nombreuses sont les industries qui contrôlent mieux leurs déchets.

C'est un matériel meilleur marché que le papier. **Il s'ensuit** qu'on l'emploie pour des produits très demandés.

B. Maintenant, répondez à ces questions concernant chaque expression en caractère gras.

- Quel rapport évoque-t-elle ?
- Quelle serait sa traduction dans votre langue ?
- Où pensez-vous qu'on la trouve habituellement ? Dans un registre standard et familier ou plutôt dans un registre soutenu ?
- Où se place-t-elle dans la phrase ?

C. Quand nous trouvons des expressions comme celles-ci, nous devons nous poser des questions afin de comprendre leur sens et de pouvoir les employer correctement :

- Où apparaissent-elles dans le texte ?
- Que mettent-elles en rapport ?
- Avec quels autres mots ou points grammaticaux sont-elles en rapport ?
- À quel registre appartiennent-elles ?

STRATÉGIE

Dans votre rapport en français avec des locuteurs de langue maternelle ou des textes authentiques, vous rencontrerez inévitablement de nombreux mots nouveaux, que vous ne connaissez pas. Chercher des stratégies pour les comprendre est très rentable. D'ailleurs, c'est indispensable pour continuer à apprendre en dehors de la classe.

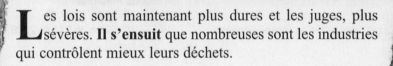

Entraînons-nous au DELF

LE DELF B1. PRODUCTION ÉCRITE

Cette épreuve consiste à rédiger une lettre formelle dans une situation courante de la vie quotidienne (demande d'information, lettre de réclamation, lettre de motivation, etc.).
Dans le cadre du DELF B1, cette lettre formelle peut être remplacée par une lettre amicale.

La lettre formelle

À la différence de la lettre amicale (voir *Cahier d'exercices 1*), la lettre formelle doit suivre quelques règles (encore) très strictes de présentation et de formulations, quel qu'en soit le contenu.

Comment se présente la lettre formelle :

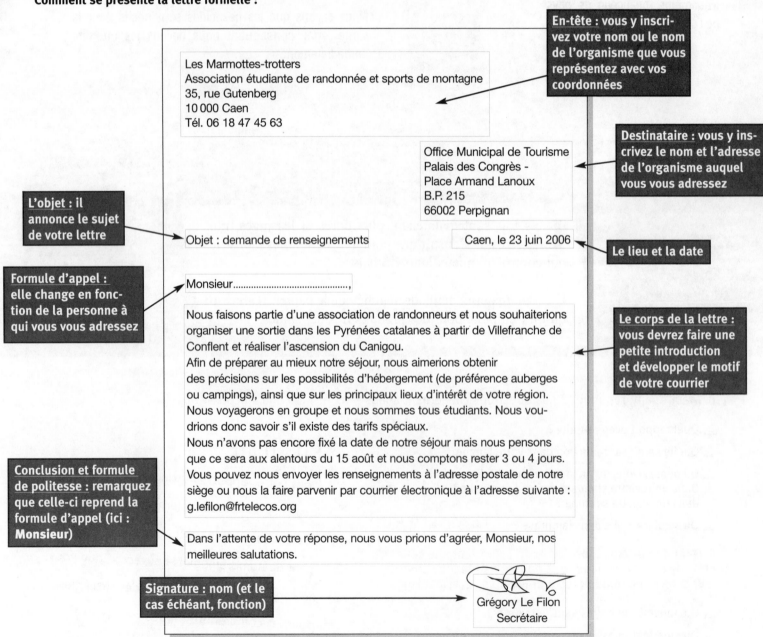

En-tête : vous y inscrivez votre nom ou le nom de l'organisme que vous représentez avec vos coordonnées

Les Marmottes-trotters
Association étudiante de randonnée et sports de montagne
35, rue Gutenberg
10 000 Caen
Tél. 06 18 47 45 63

Office Municipal de Tourisme
Palais des Congrès -
Place Armand Lanoux
B.P. 215
66002 Perpignan

Destinataire : vous y inscrivez le nom et l'adresse de l'organisme auquel vous vous adressez

L'objet : il annonce le sujet de votre lettre

Objet : demande de renseignements

Caen, le 23 juin 2006

Le lieu et la date

Formule d'appel : elle change en fonction de la personne à qui vous vous adressez

Monsieur..,

Nous faisons partie d'une association de randonneurs et nous souhaiterions organiser une sortie dans les Pyrénées catalanes à partir de Villefranche de Conflent et réaliser l'ascension du Canigou.
Afin de préparer au mieux notre séjour, nous aimerions obtenir des précisions sur les possibilités d'hébergement (de préférence auberges ou campings), ainsi que sur les principaux lieux d'intérêt de votre région. Nous voyagerons en groupe et nous sommes tous étudiants. Nous voudrions donc savoir s'il existe des tarifs spéciaux.
Nous n'avons pas encore fixé la date de notre séjour mais nous pensons que ce sera aux alentours du 15 août et nous comptons rester 3 ou 4 jours. Vous pouvez nous envoyer les renseignements à l'adresse postale de notre siège ou nous la faire parvenir par courrier électronique à l'adresse suivante : g.lefilon@frtelecos.org

Le corps de la lettre : vous devrez faire une petite introduction et développer le motif de votre courrier

Conclusion et formule de politesse : remarquez que celle-ci reprend la formule d'appel (ici : **Monsieur**)

Dans l'attente de votre réponse, nous vous prions d'agréer, Monsieur, nos meilleures salutations.

Signature : nom (et le cas échéant, fonction)

Grégory Le Filon
Secrétaire

17. Vous avez commandé un appareil électroménager voilà plus d'un mois et malgré vos appels au service clientèle de la société, vous n'avez toujours pas été livré; or, on ne vous laisse pas annuler cette commande. Lassé/e d'attendre, vous leur écrivez une lettre de réclamation.

LE DELF B1. PRODUCTION ORALE (Expression d'un point de vue)

18. Après avoir lu le document ci-dessous, vous en dégagerez le thème et présenterez votre opinion sous la forme d'un petit exposé de trois minutes environ. N'oubliez pas de construire votre présentation (**introduction**, **développement** et **conclusion**).

La mode à tout prix

Par François Descombe

Au Japon, le shopping est un sport national. « Depuis quatre ou cinq ans, Tokyo est reconnue comme la capitale de la mode. Ici, une tendance ne dure jamais plus de six mois. À chaque saison, ses nouveautés : fourrure sur jean, retour de la minijupe… Cet été, on a vu de grosses fleurs pastel et, à l'automne, le noir et le blanc ont pris le dessus ! », raconte Loïc Bizel […]. Ce Français installé à Tokyo […] est consultant et organise des fashion tours : « Des responsables d'entreprises comme Peugeot, de grands magasins comme Monoprix ou Le Printemps, veulent connaître les tendances de demain. Alors ils viennent ici et je leur fais visiter le Tokyo qui bouge […].

Arajuku, c'est le royaume de la fripe, des salons de coiffure hallucinants avec moto en vitrine et musique à fond. Chacun cherche ici à se distinguer […]. Et un peu plus loin, à Shibuya, le 109, immense centre commercial consacré à la mode, voit des ados en masse faire et défaire la réputation des boutiques et des marques ! » D'où vient cette frénésie de mode ? Imagine que toute la vie, tu doives porter des vêtements que tu n'as pas choisis : un uniforme au collège et puis, plus tard, un strict costume cravate ou un tailleur bien classique au bureau… Pour la très grande majorité des Japonais, c'est la réalité. C'est pourquoi, très vite, tant de jeunes n'ont qu'une idée en tête : se distinguer en créant leur propre look ou en contournant les codes vestimentaires. […]

Okapi, Mars 2004 n° 755

LE DELF B1. PRODUCTION ORALE

Exercice en interaction (trois à quatre minutes)

Si vous prenez déjà activement la parole en classe, cet exercice ne devrait pas être difficile : il s'agit de jouer une courte scène avec l'examinateur. Dans cette scène, on vous posera un « problème » ou une « situation inhabituelle » et vous devrez montrer que vous êtes capable de l'affronter.

19. Vous avez invité des amis à la maison pour regarder ensemble le DVD d'un film dont vous êtes tous fans. Mais voilà, le film qui était pourtant réservé depuis longtemps dans votre vidéo-club vient d'être loué ! Vous discutez avec le commerçant. Vous voulez qu'il trouve une solution, sinon vous annulerez votre abonnement. Jouez le dialogue.

Auto-évaluation

1. Complétez le texte suivant avec **qui** ou **que.**

J'ai des amis .... adorent jouer au football. Le samedi après-midi, ils viennent souvent
s'entraîner au stade .... est à côté de chez moi. C'est un grand stade où viennent
jouer de grandes équipes. Le football est un sport .... je n'aime pas pratiquer, mais
.... j'aime bien regarder. Alors, quelquefois, je vais voir jouer mes amis. François
surtout, ... est un très bon joueur. C'est lui .... marque les buts.
Samedi dernier, leur gardien de but était absent. C'est moi .... l'ai remplacé.
Quelle catastrophe ! Nous avons pris cinq buts.

2. Écrivez un courriel à un/e ami/e en lui expliquant les diverses promesses que vous avez
faites à vos parents pour qu'ils financent vos prochaines vacances à l'étranger. Vous
pouvez vous inspirer de la liste proposée.

- Faire le lit tous les matins
- Ne plus fumer dans la chambre
- Descendre la poubelle le soir
- Ne pas inviter des copains sans prévenir

- Ne plus prendre la voiture sans demander
- ....
- ....
- ....

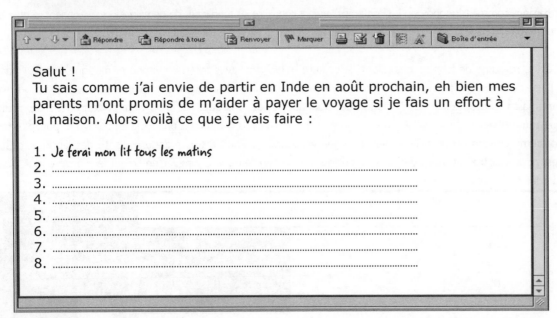

Salut !
Tu sais comme j'ai envie de partir en Inde en août prochain, eh bien mes
parents m'ont promis de m'aider à payer le voyage si je fais un effort à
la maison. Alors voilà ce que je vais faire :

1. Je ferai mon lit tous les matins
2. ....
3. ....
4. ....
5. ....
6. ....
7. ....
8. ....

3. Choisissez un objet qui a une signification pour vous et décrivez-le.

C'est un objet qui...

4. **A.** Écoutez Monsieur Ribert, sociologue, interrogé à propos des événements qui
ont changé la vie quotidienne des Français. Placez-les ensuite dans le tableau.

CHANGEMENTS POSITIFS	CHANGEMENTS NÉGATIFS

B. Êtes-vous d'accord avec ce classement ? Quels sont les changements positifs et néga-tifs de ces 30 dernières années ?

C. Et pour vous ? Quels ont été les changements importants dans votre société ces trente dernières années ?

- ● Avant, il fallait aller dans des bibliothèques pour trouver des informations. Maintenant, grâce à Internet, on a toute la documentation chez soi.
- ○ Avant on écrivait avec une machine à écrire et il fallait tout recommencer quand on faisait une erreur. Maintenant, grâce à l'ordinateur on peut corriger un texte, sans avoir à le réécrire.

5. Lisez ce texte écrit par un philosophe imaginaire. Remplissez les espaces vides avec les verbes aux temps et aux modes qui vous semblent adéquats.

Si la vie était éternelle, nous ne .... (**a.** MOURIR) pas. Si nous ne .... (**b.** MOURIR) pas, nous serions toujours dans un état de perpétuelle jeunesse. Si nous .... (**c.** ÊTRE) toujours dans un état de perpétuelle jeunesse, le temps ne .... (**d.** PASSER) pas. Or, si le temps ne passait pas, le changement de saisons n' .... (**e.** EXISTER) pas. Si les saisons n'existaient pas, il n'y .... (**f.** AVOIR) pas de fleurs, pas de légumes, pas de vie. S'il n'y avait pas de vie, je ne .... (**g.** POUVOIR) pas philosopher, or j'existe, donc la vie n'est pas éternelle.

6. Devinez qui est ce personnage et complétez les formes verbales.

Si j'étais -------------------------, je n'aurais pas de scrupules.
Je (VIVRE) ------------------------- la nuit.
Je (FAIRE PARTIE) ------------------------- de la noblesse.
Je (METTRE) ------------------------- mes habits les plus élégants.
Le jour, j'(HIBERNER) -------------------------
Je (PARTIR) ------------------------- en voyage en volant.
J'(AVOIR PEUR) ------------------------- de l'ail et des crucifix.
J'(HABITER) ------------------------- dans un cimetière.
Je (SE NOURRIR) ------------------------- du sang humain.

7. Complétez avec **comme** ou **comment**.

a. Mon frère me ressemble, ...
moi, il n'aime pas la soupe.

b. Il est bête.. ses pieds !

c. Tu viens .... à l'école ?

d. Tu sais .... je m'appelle ?

e. Tu ne sais pas .... on dit « bouger » en russe ?

f. .... ça marche ce truc ?
.... ça, tu vois ?

8. Dites à quelles situations proposées peut correspondre la phrase et pourquoi Il peut y avoir plusieurs solutions.

A. « Asseyez-vous et fermez la porte, s'il vous plaît ! »
   a. un serveur s'adressant à des clients qui entrent dans un restaurant.
   b. un professeur s'adressant à un étudiant.
   c. un médecin qui parle à un malade qui entre

B. « Vous êtes un homme remarquable, Georges, je n'y aurais pas pensé ! »
   a. Une femme de la haute bourgeoisie qui s'adresse à son mari.
   b. Un collègue de travail qui s'adresse à un autre collègue.
   c. Une femme qui parle à son voisin.

C. « Tu penses réellement qu'on doit vendre cette maison ? »
   a. Un fils à son père.
   b. Une femme à son mari.
   c. Un chef d'entreprise à son employé.

D. « Arrêtez cette musique tout de suite ! C'est infernal ! »
   a. Une grand-mère à son petits fils.
   b. Un père à ses enfants.
   c. Un boulanger à son apprenti

E. « Tu penses vraiment que ça vaut la peine de protester ? »
   a. Un chef d'entreprise à son employé.
   b. Une mère à sa fille.
   c. Deux amis.

9. Dans une interview au Journal TV de 20 h, un médecin était interrogé à propos des effets négatifs que peuvent avoir les jeux vidéos sur les enfants. Celui-ci a répondu : « On devrait purement et simplement les interdire ». Réagissez à cette opinion en donnant votre propre point de vue. Pensez à utiliser :
■ au moins quatre connecteurs parmi la liste suivante : **d'une part/d'autre part**, **en effet**, **car**, **par contre**, **mais**, **par conséquent**
■ les quatre pronoms relatifs simples : **qui**, **que**, **où**, **dont**
■ des expressions d'opinion (avec l'indicatif et le subjonctif)

 Réfléchissez à ce que vous avez fait dans les Unités 4, 5 et 6. Réfléchissez aux sujets que vous avez travaillés et aux activités que vous avez faites de manière correcte.

JE SAIS UTILISER :	PEU	ASSEZ BIEN	BIEN	TRÈS BIEN
le subjonctif après les expressions d'opinion à la forme négative				
des connecteurs pour exposer mes idées				
le pronom relatif **dont**				

BILAN D'AUTO-ÉVALUATION

Réfléchissez : dans ces trois dernières unités vous avez appris de nouveaux temps verbaux qui vous permettent d'accroître considérablement vos moyens d'expression. Avez-vous réellement tout assimilé ? Remplissez ce tableau pour faire votre bilan.

Dans les cases où vous avez **un peu** ou **pas du tout**, il est préférable de reprendre le Mémento grammatical et de revoir les formes verbales. Car les verbes irréguliers sont souvent les plus utilisés en français.

	PEU	ASSEZ BIEN	BIEN	TRÈS BIEN
Je sais parler de projets futurs.				
Je peux exprimer des souhaits au conditionnel.				
Je peux faire des hypothèses.				
Je sais exprimer mon désaccord en utilisant le subjonctif.				
Je dois réviser les verbes irréguliers au futur.				
Je dois réviser les verbes irréguliers au subjonctif.				
Je comprends quand je dois employer le subjonctif dans un débat.				
Je peux parler au conditionnel sans réfléchir.				

Unité 7
QUAND TOUT À COUP...

1. Placez correctement dans le texte ci-dessous les indicateurs temporels suivants.

> avant

> tout à coup

> lundi dernier

> il y a

> au bout de

......................., Martin a commencé son nouveau travail. ...., dimanche, il était très nerveux parce qu'il n'arrêtait pas de penser à la journée qui l'attendait. Tout avait commencé .... deux semaines, juste deux jours .... son anniversaire. Il lisait le journal tranquillement quand ...., il a vu une annonce qui l'intéressait. Il a envoyé son CV et .... quatre ou cinq jours, on l'a appelé pour un entretien. ...., on lui a de nouveau téléphoné .... pour lui dire qu'il était pris.

> finalement

> la veille

> la semaine dernière

2. Réécrivez ce texte au passé composé. Attention au choix de l'auxiliaire et aux accords des participes passés !

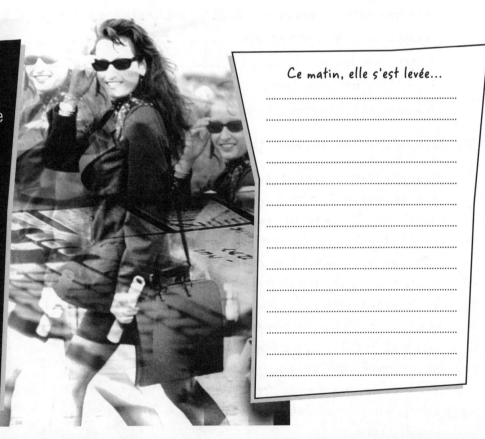

Le matin, Alice se lève à 6 heures. Elle se douche et elle prend son petit-déjeuner avant de sortir pour se rendre au travail. Elle passe devant un marchand de journaux et elle lui achète une revue qu'elle lit dans le bus. Elle entre au bureau à 8 heures et demie. On lui passe les premiers appels. Elle est très aimable au téléphone. À 10 heures, elle sort prendre un café avec ses collègues. Entre elles, elles parlent des choses qu'elles font pendant le week-end. Mais la pause passe vite et elles doivent reprendre le travail.

Ce matin, elle s'est levée...

....
....
....
....
....
....
....
....
....
....
....
....
....
....
....

3. Reliez un élément de chaque bloc afin de former une phrase.

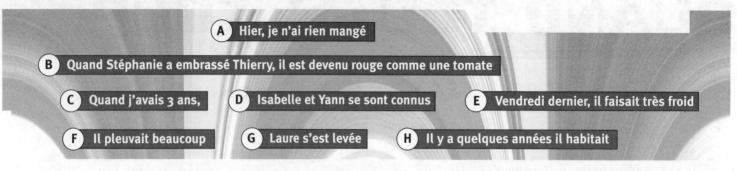

A Hier, je n'ai rien mangé

B Quand Stéphanie a embrassé Thierry, il est devenu rouge comme une tomate

C Quand j'avais 3 ans,   **D** Isabelle et Yann se sont connus   **E** Vendredi dernier, il faisait très froid

F Il pleuvait beaucoup   **G** Laure s'est levée   **H** Il y a quelques années il habitait

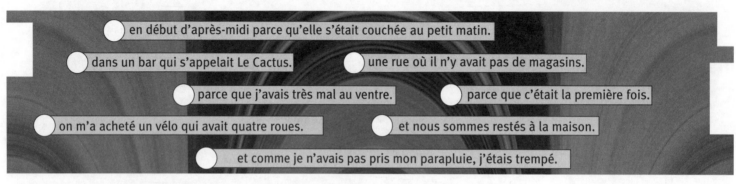

en début d'après-midi parce qu'elle s'était couchée au petit matin.

dans un bar qui s'appelait Le Cactus.   une rue où il n'y avait pas de magasins.

parce que j'avais très mal au ventre.   parce que c'était la première fois.

on m'a acheté un vélo qui avait quatre roues.   et nous sommes restés à la maison.

et comme je n'avais pas pris mon parapluie, j'étais trempé.

4. Voici ce qui est arrivé à David récemment. Essayez de le clarifier en complétant les phrases suivantes.

⁂ Il y a deux semaines, David était encore une personne triste parce que ....

⁂ Les choses ont commencé à changer quand ....

⁂ Ce n'était qu'une annonce, mais il pensait que ....

⁂ La veille du rendez-vous, un ami l'a aidé à choisir un costume et ils ....

⁂ Cela faisait plus de deux ans que ....

⁂ Finalement, le jour où .... est arrivé.

⁂ David était très nerveux car ....

⁂ Il attendait impatiemment quand tout à coup .... Depuis, sa vie ressemble à un conte de fée.

5. A. Stéphane raconte comment il a rencontré l'amour de sa vie. Lisez son récit.

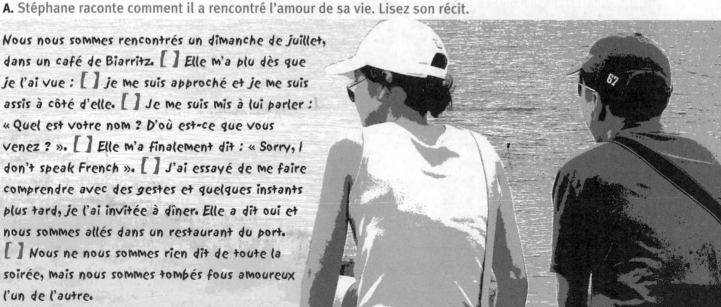

Nous nous sommes rencontrés un dimanche de juillet, dans un café de Biarritz. [ ] Elle m'a plu dès que je l'ai vue : [ ] je me suis approché et je me suis assis à côté d'elle. [ ] Je me suis mis à lui parler : « Quel est votre nom ? D'où est-ce que vous venez ? ». [ ] Elle m'a finalement dit : « Sorry, I don't speak French ». [ ] J'ai essayé de me faire comprendre avec des gestes et quelques instants plus tard, je l'ai invitée à dîner. Elle a dit oui et nous sommes allés dans un restaurant du port. [ ] Nous ne nous sommes rien dit de toute la soirée, mais nous sommes tombés fous amoureux l'un de l'autre.

B. Vous venez de lire les faits essentiels, les événements, racontés au passé composé. Par contre, c'est à l'imparfait qu'on parlerait des circonstances, des motifs ou des actions qui entouraient ces faits. À présent, complétez le récit avec les phrases proposées ci-dessous. Mais avant, n'oubliez pas de conjuguer correctement les verbes entre parenthèses.

a. Elle (**être**) *était* brune, aux yeux verts, elle (**avoir l'air**) .... timide et elle (**être**) .... seule, si bien que

b. Ce jour-là, il (**faire**) .... très chaud. Elle (**être**) .... assise à une table de la terrasse de ce café.

c. De notre table, on (**entendre**) .... le bruit de la mer et elle (**ne pas arrêter**) .... de sourire.

d. Elle me (**regarder**) .... et elle (**sourire**) ...., mais elle (**ne pas répondre**)...........................

e. À cette époque-là, je (**ne pas savoir**) .... un mot d'anglais mais

f. Je (**être**) .... assez nerveux mais elle me (**plaire**)........................... tellement que

6. Vous en souvenez-vous ? Remplissez ce tableau selon le modèle à partir de vos souvenirs ou tout simplement de votre imagination.

	C'était quand ? Que s'est-il passé ?	Où étiez-vous ?	Quel temps faisait-il ?	Avec qui étiez-vous ?	Vous vous souvenez des habits que vous portiez ?
Le plus beau jour de votre vie	Le 28 avril 1995 : j'ai rencontré la femme de ma vie	Nous étions en vacances sur la côte Adriatique	Il faisait très chaud	Je voyageais seul	Des vêtements d'été : un short et un T-shirt
Un jour de chance					
Un jour où vous avez pris une décision importante					
Un jour de votre enfance qui vous a marqué					
Un jour à l'étranger					
Un jour où il vous est arrivé quelque chose de bizarre					
Un jour où vous vous êtes fâché(e)					
La première fois que vous êtes tombé(e) amoureux/euse					
La dernière fois que vous vous êtes senti(e) gêné(e)					
La dernière fois où vous avez eu peur					

7. Comparez la biographie de Nadine à la vôtre ou à des événements ayant marqué votre pays ou le monde. Utilisez des expressions comme **cette année-là**, **ce jour-là**...

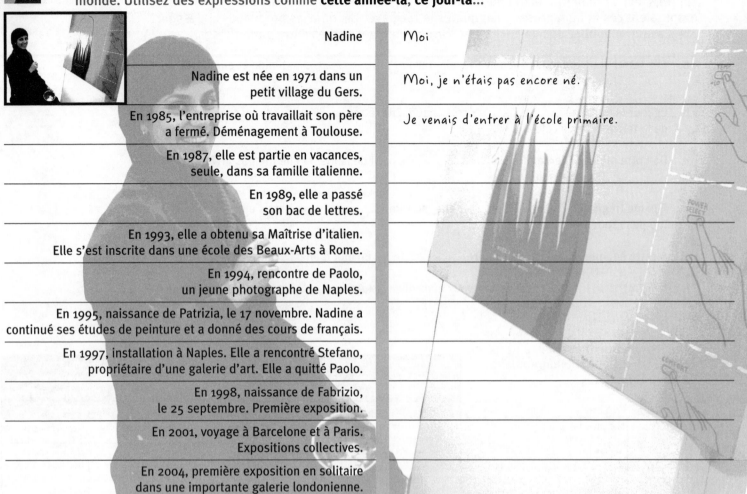

Nadine	Moi
Nadine est née en 1971 dans un petit village du Gers.	Moi, je n'étais pas encore né.
En 1985, l'entreprise où travaillait son père a fermé. Déménagement à Toulouse.	Je venais d'entrer à l'école primaire.
En 1987, elle est partie en vacances, seule, dans sa famille italienne.	
En 1989, elle a passé son bac de lettres.	
En 1993, elle a obtenu sa Maîtrise d'italien. Elle s'est inscrite dans une école des Beaux-Arts à Rome.	
En 1994, rencontre de Paolo, un jeune photographe de Naples.	
En 1995, naissance de Patrizia, le 17 novembre. Nadine a continué ses études de peinture et a donné des cours de français.	
En 1997, installation à Naples. Elle a rencontré Stefano, propriétaire d'une galerie d'art. Elle a quitté Paolo.	
En 1998, naissance de Fabrizio, le 25 septembre. Première exposition.	
En 2001, voyage à Barcelone et à Paris. Expositions collectives.	
En 2004, première exposition en solitaire dans une importante galerie londonienne.	

8. Placez correctement dans les phrases suivantes l'adverbe entre parenthèses (sans modifier la ponctuation).

> Nous nous sommes amusés (**bien**).   *Nous nous sommes bien amusés.*

a. Je suis venue ici (**déjà**). ....

b. Ils n'ont pas compris l'histoire (**vraiment**). ....

c. Il pleuvait le soir (**toujours**). ....

d. Ils ont ri (**beaucoup**). ....

e. Elle aimait lire des livres d'aventures (**beaucoup**). ....

f. Nous avons mangé pendant la fête (**tout**). ....

g. Ils ont décidé de se marier (**finalement**). ....

h. Vous avez pu dormir (**enfin**). ....

i. Ils répondaient aux questions (**rapidement**). ....

j. Elle a parlé aux journalistes (**trop**). ....

9. Réécrivez les phrases à la voix passive.

Voix active :	Les autorités ont interdit la vente de ce produit.
Voix passive :	La vente de ce produit a été interdite par les autorités.

   a. Dans ce pays, les habitants accueillent très chaleureusement les visiteurs. ....

   b. Les gangsters ont attaqué la banque à l'heure de la fermeture. ....

   c. Le cyclone Ivan a dévasté la Jamaïque. ....

   d. En France, on élit le Président de la République tous les 5 ans. ....

   e. La tempête a détruit de nombreuses maisons. ....

   f. Les gens ont entendu l'explosion à plus de 10 km. ....

   g. Un film britannique remporte le Lion d'Or du Festival de Venise. ....

   h. Le président a destitué le ministre responsable des incidents. ....

   i. Les écologistes ont sauvé des milliers de baleines. ....

10. Réécrivez les phrases à la voix active.

	Voix passive :	Voix active :
a.	Le bateau a été renversé par une énorme vague.	Une énorme vague a renversé le bateau.
b.	Les voleurs ont été arrêtés par des agents en civil.	
c.	Le spectacle a été applaudi avec enthousiasme par la foule.	
d.	Les vainqueurs ont été désignés par les téléspectateurs.	
e.	La population a été surprise par la vague de froid.	
f.	Les inscriptions ont été déchiffrées par un scientifique français.	
g.	La ville a été secouée par un petit tremblement de terre.	
h.	Les gens ont été informés de l'accident par les journaux.	
i.	Ce document a été distribué par les autorités.	
j.	Les joueurs ont été acclamés par les supporters.	
k.	La vieille dame a été agressée par un inconnu à la sortie de l'immeuble.	

11. **A.** On utilise généralement des noms pour les titres de journaux. Mais si nous devions raconter les faits qu'ils évoquent, que dirions-nous ? Attention, en fonction de la phrase, vous devrez choisir la forme verbale la plus appropriée (**voix active** ou **voix passive**).

Vol d'un tableau de Monet dans un musée de Paris
Tu sais qu'un tableau de Monet a été volé dans un musée de Paris ?

Découverte d'un squelette de dinosaure dans le Gers

....

....

Disparition de Christine Duchemin

Montée en flèche des prix du pétrole

....

....

MANIFESTATIONS DES TRAVAILLEURS DE RENAULT CONTRE LA DÉLOCALISATION

....

....

....

Élection des nouveaux membres du Conseil de l'Europe.

....

Arrivée en tête d'Anne Quéméré à bord de son voilier.

....

B. À votre tour, sélectionnez sur Internet ou dans un journal de chez vous 2 ou 3 titres et imaginez en une ou deux lignes ce qui s'est passé.

12. Écoutez les phrases et indiquez dans le tableau si elles sont au passé ou au présent. Puis, vous transcrirez ce que vous avez entendu pour compléter les phrases du tableau.

	PASSÉ	PRÉSENT
1. .... leur journal.		
2. ....au téléphone.		
3. .... m'accompagner ?		
4. .... les journaux.		
5. .... à Londres ?		
6. .... au cinéma le samedi.		
7. .... à Rome ?		
8. .... à un ami.		
9. .... à un ami.		
10. .... en bateau.		

13. Les événements peuvent souvent être racontés de différentes façons, selon les points de vue adoptés. Réécrivez ces récits à partir des phrases en caractères gras. Vous devrez utiliser le plus-que-parfait.

La journée a été dure. J'ai eu trois réunions très importantes et je n'ai presque pas eu le temps de manger. Je n'ai mangé qu'un sandwich, debout, au bureau. L'après-midi, j'ai parlé avec Thomas, un collègue, à propos d'un problème que nous avons eu dans notre service. La conversation a été un peu désagréable... Quand je suis arrivé chez moi, mon voisin m'a dit : « Vous avez été cambriolé ! ». Il ne manquait plus que ça !

Quand je suis arrivé chez moi, c'est mon voisin qui me l'a dit. Il ne manquait plus que ça ! J'avais été cambriolé ! Il faut dire que j'avais eu une dure journée : j'avais eu trois réunions et...

Ce jour-là, je me suis levé trop tard, je me suis vite habillé. Je suis sorti de chez moi, énervé... J'ai pris la petite voiture pour pouvoir me garer plus facilement. Je suis arrivé à la gare juste à temps pour prendre le train, mais en entrant dans le parking, vlan ! Ça a été un accident complètement absurde.

Ça a été un accident complètement absur-
de ....
....
....
....
....

Ce matin-là, je lui ai acheté une très belle bague, et très chère aussi. Ensuite, j'ai envoyé un bouquet de fleurs chez elle. L'après-midi, j'ai mis un beau costume et le parfum qu'elle a tant aimé la dernière fois que nous nous sommes vus et je suis allé au rendez-vous, très nerveux. Et elle m'a dit oui, elle m'a dit qu'elle voulait bien se marier avec moi...

Elle m'a dit oui...
....
....
....
....
....

14. Voici quatre fiches contenant les éléments d'une anecdote. Vous rédigerez pour chacune d'elles un petit texte comme dans l'exemple ci-dessous.

> ❖ hier ❖ faire beau ❖ plage ❖ l'après-midi ❖ soudain ❖ orage – éclater ❖ nous – rentrer à la maison

> Hier, comme il faisait beau nous sommes allés à la plage l'après-midi. Soudain, un orage a éclaté et nous sommes rentrés à la maison.

Ⓐ ❖ le mois dernier ❖ regarder la télé ❖ tout à coup ❖ grand bruit ❖ fenêtre ouverte ❖ chat-entrer
....
....

Ⓑ ❖ l'autre jour ❖ faire les courses ❖ quand ❖ des voleurs-entrer ❖ menacer le personnel et les clients ❖ la caisse emporter
....
....

Ⓒ ❖ avant-hier ❖ prendre le métro ❖ beaucoup de gens ❖ soudain ❖ les portes s'ouvrir ❖ entendre « au voleur ! » ❖ voir un homme courir très vite
....
....

Ⓓ ❖ la semaine dernière ❖ marcher tranquillement dans la rue ❖ tout à coup ❖ entendre « Bruno ! Bruno ! » ❖ un ami d'enfance ❖ ne pas se voir depuis 15 ans
....
....

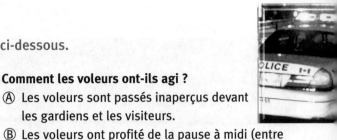

 15. Écoutez cette information et répondez au questionnaire ci-dessous.

1. Donnez un titre à la chronique.
Ⓐ Vol de six tableaux expressionnistes dans un musée norvégien.
Ⓑ Vol de deux tableaux expressionnistes dans un musée canadien.
Ⓒ Vol de trois tableaux expressionnistes dans un musée d'Oslo.

2. À quelle heure s'est produit le vol ?
Ⓐ À 11 heures.
Ⓑ À 13 heures.
Ⓒ On ne sait pas.

3. De combien de personnes se composait la bande ?
Ⓐ De deux personnes.
Ⓑ De trois personnes.
Ⓒ De quatre personnes.

4. En combien de temps les voleurs ont-ils réalisé leur méfait ?
Ⓐ En moins de 30 secondes.
Ⓑ En 3 minutes.
Ⓒ En 30 minutes.

5. Comment les voleurs ont-ils agi ?
Ⓐ Les voleurs sont passés inaperçus devant les gardiens et les visiteurs.
Ⓑ Les voleurs ont profité de la pause à midi (entre 12 h et 14 h) pour entrer dans le musée.
Ⓒ Les voleurs ont neutralisé les gardiens et ont agi devant les visiteurs.

6. Les voleurs ont pris la fuite...
Ⓐ ... en voiture.
Ⓑ ... en fourgonnette.
Ⓒ ... en moto.

7. Quelques heures plus tard...
Ⓐ ... la police a retrouvé les tableaux.
Ⓑ ... la police a retrouvé les voleurs mais pas les tableaux.
Ⓒ ... la police n'a retrouvé que le cadre des tableaux.

16. Vladimir étudie le français et il n'est pas encore très sûr de lui quand il doit utiliser les temps du passé. Pouvez-vous reprendre sa lettre et l'aider à choisir la forme qui convient ?

Salut Nath,

Ça va ? Il faut absolument que je t'explique ce qui nous *est arrivé / était arrivé / arrivait* la semaine dernière. Voilà, Jean-Michel et moi, nous *sommes allés / allions* faire une randonnée dans les Pyrénées. Avant de partir nous *avions étudié / étudions* le parcours. Nous *sommes partis / partions* très tôt en voiture jusqu'à l'entrée du sentier. Nous *avons été / étions* bien équipés et nous nous *étions munis / munissions* de provisions pour deux jours de marche. Heureusement que nous *étions levés / levions* de bonne heure et qu'il *a fait / faisait* encore bon car après 10 h du mat, nous ne pouvions plus avancer à cause de la chaleur et... de notre manque d'entraînement. À midi, on *a fait / faisait* une pause et une sieste. Quand on *s'est réveillés / se réveillait*, il *a été / était* déjà trois heures et il *avait fallu / fallait* qu'on avance jusqu'à un petit camping. Ça *n'a pas fait / ne faisait pas* une heure que nous *avons marché / marchions* que le ciel *est devenu / était devenu* noir. On *avait entendu / entendait* le tonnerre qui *avait résonné / résonnait* et il *avait eu / avait* de plus en plus d'éclairs. Quand tout à coup, crac, foudroyé, un énorme sapin *s'est abattu / s'était abattu* presque sur nos têtes. On *a eu / avait* la frayeur de notre vie ! Et comble de malheur, la pluie *s'est mise / se mettait* à tomber. Trempés, morts de fatigue, nous *avons pu / avions* pu atteindre le camping où on nous *a accueillis / accueillait* très gentiment. Quel soulagement !
Et toi, qu'est-ce que tu deviens ? Envoie-moi des nouvelles !
Je t'embrasse.
À +
Vladimir

Vos stratégies pour **mieux** apprendre

17. Voici le début d'un roman puis les noms et les verbes que l'écrivain emploie dans le paragraphe suivant. Ceux-ci sont déjà dans l'ordre. À partir de ces éléments, essayez d'écrire ce deuxième paragraphe.

Mon mari a disparu. Il est rentré du travail, il a posé sa serviette contre le mur, il m'a demandé si j'avais acheté du pain. Il devait être aux alentours de sept heures et demie.

Mon mari a-t-il disparu parce que, ce soir-là, après des années de négligence de ma part, excédé, fatigué par sa journée de travail, il en a eu subitement assez de devoir, jour après jour, redescendre nos cinq étages en quête de pain ? J'ai essayé d'aider les enquêteurs : était-ce vraiment un jour comme les autres ?

FICHIER

MARI

MATIN

VENDRE

RECEVOIR

SPÉCIAL

TROIS

APPARTEMENT

JOURS

SANDWICH

ACHETER

RUE

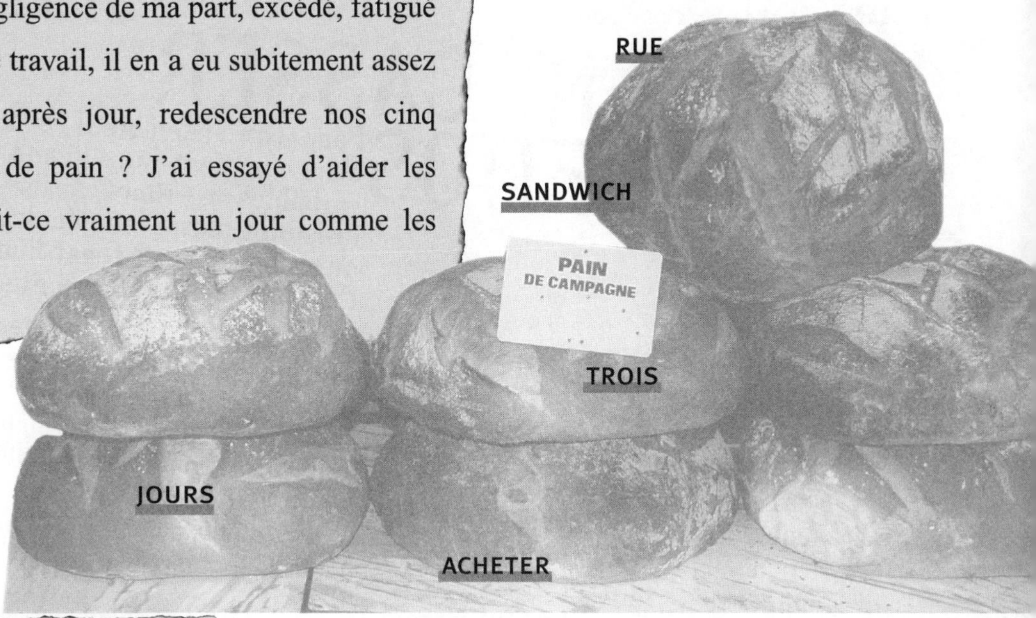

Nous avons épluché un à un les fichiers informatiques ouverts par mon mari depuis le matin. Il n'avait rien vendu ni reçu de spécial, il avait fait visiter trois appartements, il avait déjeuné comme tous les jours d'un sandwich acheté au coin de la rue.

Marie Darrieussecq, *Naissance des fantômes*, Paris, Gallimard, coll. Folio, 1998, p. 11.

STRATÉGIE

Dans des activités comme celle-ci, où vous comparez vos productions aux versions originales d'un natif, vous pouvez voir encore mieux comment fonctionnent certains aspects grammaticaux. Vous pouvez en plus décider quels sont les points qui vous intéressent le plus pour mieux les mémoriser ou mieux les étudier.

LE DELF B1. COMPRÉHENSION DES ÉCRITS

Nous vous rappelons que cette épreuve consiste à lire un article de presse et à idendifier les informations essentielles. Vous ne devez donc pas vous attarder sur des mots que vous ne comprenez pas mais sur le sens général.

Le style souvent familier des articles ne doit pas vous effrayer. Nous vous conseillons de vous habituer à lire régulièrement des articles de presse mais aussi des publicités ou des modes d'emploi.

Les exercices sont généralement les suivants :
- retrouver une phrase du texte (à partir d'une phrase ayant le même sens) ;
- répondre à un **vrai / faux** (en justifiant vos réponses) ;
- répondre à quelques questions de compréhension générale.

Dans les épreuves où vous devez écrire, pensez à faire des phrases courtes sans paraphraser le texte original et en faisant attention à l'orthographe.

18. Lisez le texte suivant.

COMMENT CASSER LES GHETTOS

Pour vivre ensemble il faudrait commencer par se voir... Mais comment faire quand les minorités dites « visibles » —Noirs, Arabes, Asiatiques, etc.— [...] sont justement invisibles parmi les décideurs politiques, économiques ou médiatiques ? C'est l'un des nombreux signes du malaise... Pourtant, des remèdes existent !

Mettre en place une véritable action positive

[...] Les gens défavorisés ont droit à un coup de pouce. C'est cela, la « discrimination positive » [...]. Dans cet esprit, [...] le directeur de l'Institut d'études politiques de Paris ne veut plus que ses élèves, futures élites de la République, soient tous issus des quartiers chics. Depuis 2001, les bacheliers les plus brillants de vingt lycées classés en zone d'éducation prioritaire (ZEP) sont admis en Sciences-Po [...]. Les parents de la moitié d'entre eux sont nés hors de France. [...]

Même les patrons s'y mettent. En juin dernier, une vingtaine de grandes entreprises se sont engagées à embaucher davantage de jeunes d'origine étrangère ou des DOM-TOM [...]. Atteinte au principe d'égalité ? Pas du tout [...], « l'action positive n'est pas une remise en cause de l'indivisibilité de la République, c'est au contraire le moyen de la restaurer, [...] de rendre égales des situations qui aujourd'hui ne le sont pas ».

Stopper la « ghettoïsation » des banlieues

Vue sur le béton, à l'ombre des tours. Pas très épanouissant comme cadre de vie... Surtout quand le fait de dire que l'on vient de la cité Untel vous empêche de décrocher un job. Résultat : un chômage record. Afin de redonner une chance à leurs habitants, [...] la [nouvelle] loi d'orientation pour la ville et la rénovation urbaine [...] prévoit de rénover quelque 200 000 logements, d'en démolir 200 000 autres et d'en bâtir 200 000 nouveaux sur cinq ans. Création de 41 nouvelles zones franches [...], aide financière pour les communes pauvres et les familles surendettés... [...]

Combler les trous de mémoire

« Les enfants de l'immigration ont grandi avec des trous de mémoire » [...]. Ni l'école ni leurs parents ne leur ont enseigné l'histoire de la migration familiale. Comment construire son identité sans connaître ses racines ? [...] Pas facile de dire à ses petits-enfants qu'on s'est soumis aux Français dans les colonies, avant de vivre [...] en France.

Pas évident non plus, pour la France, de reconnaître que le système colonial était fondé sur une bonne dose de racisme.

Mais les choses évoluent. Le 17 octobre 2001, le maire de Paris déposait une plaque sur le pont Saint-Michel à la mémoire des Algériens tués le 17 octobre 1961 [...]. La police avait tiré sur la foule. Des corps avaient été jetés dans la Seine. Bilan ? Deux morts selon la préfecture. Des centaines selon certains historiens. Et un silence officiel de trente ans.

Autre initiative : l'ouverture en 2007, du Musée de l'histoire et des cultures de l'immigration [...]. « Il s'agit de restaurer la fierté des enfants d'immigrés en montrant que leurs parents ont participé à l'histoire de France. Et que, finalement, ils n'étaient pas si " étrangers " que ça » [...].

D'après Laëtitia de Kerchove,
Phosphore, Septembre 2004, n⁰ 279

19. Retrouvez dans l'article « Comment casser les ghettos » les phrases ayant un sens proche de celui des phrases proposées ci-dessous.

① Les personnes démunies peuvent recevoir une aide pour avancer dans la vie.

....

② Vingt sociétés environ ont promis de prendre plus de personnel

....

③ Ce n'est pas un environnement très agréable pour vivre

....

④ Obtenir un emploi

....

20. Répondez en indiquant **vrai** ou **faux** dans le tableau ci-dessous. Vous citerez exactement le/s passage/s du texte justifiant votre réponse.

	VRAI	FAUX	JUSTIFICATION
L'absence de minorités dites « visibles» sur la scène publique est une des causes de la crise			
La discrimination positive n'est pas possible en France.			
L'État n'a pas de projet urbain pour ces ghettos			
Le système colonial français respectait les peuples et les cultures			
La France commence à reconnaître ses erreurs			
Un musée racontera la place des immigrés dans l'histoire de France			

21. Répondez aux questions suivantes (vous pouvez éventuellement reprendre des phrases du texte).

① Quelle mesure a-t-on prise pour éviter que tous les élèves de l'Institut d'études politiques de Paris proviennent des quartiers chics ?

....

② Les initiatives prises par les entreprises portent-elles atteinte au principe d'égalité ?

....

③ Outre la rénovation urbaine, comment compte-t-on limiter le « repli communautaire » ?

....

④ Pourquoi dit-on que « les enfants ont grandi avec des trous de mémoire » ?

....

LE DELF B1. PRODUCTION ORALE (Expression d'un point de vue)

22. Après avoir lu le document ci-contre et avoir répondu aux questions des activités 19-20-21, vous en dégagerez le thème et présenterez votre opinion sous la forme d'un petit exposé de trois minutes environ. Vous pourrez établir une comparaison avec la situation dans votre pays. N'oubliez pas de construire votre présentation (introduction, développement, conclusion).

Unité 8
IL ÉTAIT UNE FOIS...

1. **A.** Voici des extraits de contes traditionnels. Lisez-les et complétez les phrases avec les mots qui manquent.

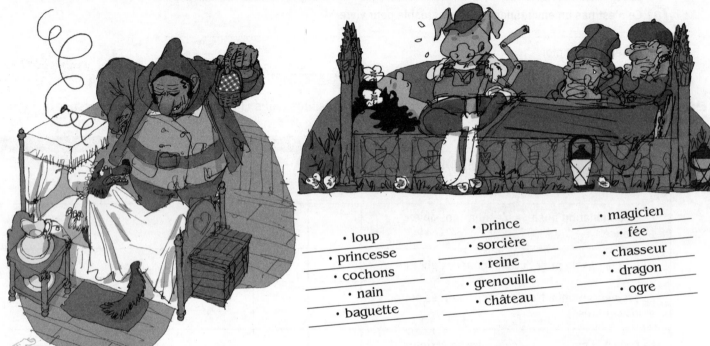

- loup
- princesse
- cochons
- nain
- baguette

- prince
- sorcière
- reine
- grenouille
- château

- magicien
- fée
- chasseur
- dragon
- ogre

A. Les trois petits .... chantaient : « Qui a peur du grand méchant................................ ? »

B. Il était une fois un roi et une .... qui désiraient ardemment avoir un enfant.

C. Le .... charmant entra dans la chambre et vit une belle jeune fille endormie sur le lit.

D. La .... était tellement jolie que le .... n'avait pas le courage de la tuer.

E. « Partez le plus vite possible d'ici », dit-elle. « Mon mari est un .... qui dévore les enfants au petit déjeuner. »

F. La méchante .... offrit une pomme empoisonnée à Blanche-Neige.

G. Le premier .... dit alors : « qui a mangé dans mon assiette ? ».

H. La fille du roi embrassa la .... qui se transforma en prince.

I. D'un coup de .... magique, la bonne .... transforma Pinocchio en un vrai petit garçon.

J. Le .... était gardé par un terrible ....

K. Un .... très puissant vivait dans la forêt.

 B. Écoutez et vérifiez !

2. **A.** Vous êtes-vous déjà demandé pourquoi les choses sont comme elles sont et quelle est leur finalité ? Voici dans la colonne de gauche quelques questions et dans la colonne de droite des explications très originales. Essayez de les mettre en relation.

1.	Savez-vous pourquoi la mer est salée ?		
2.	Savez-vous pourquoi il y a des fleurs de différentes couleurs ?	A.	**Afin de** ne pas déranger notre sommeil !
3.	Savez-vous pourquoi le soleil ne brille pas la nuit ?	B.	**Afin de** se comprendre entre-eux !
4.	Savez-vous pourquoi les Français parlent français ?	C.	**Pour que** les bateaux flottent plus facilement !
5.	Savez-vous pourquoi les éléphants sont gris ?	D.	**Afin de** pouvoir continuer à manger plein de sucreries !
6.	Savez-vous pourquoi il faut se laver les dents régulièrement ?	E.	**Pour que** nos jardins soient plus jolis !
7.	Savez-vous pourquoi les zèbres sont zébrés/rayés	F.	**Afin qu'**on ne les confonde pas avec les fraises des bois.
8.	Savez-vous pourquoi les Chinois ont construit la Grande Muraille ?	G.	**Afin que** les cosmonautes la voient depuis l'espace.
		H.	**Afin de** ne pas être confondus avec les tigres qui sont tigrés.

B. À vous maintenant de proposer des finalités aux faits suivants. Pour cela vous aurez peut-être besoin de **pour que**, **afin de** et **afin que**.

a. Savez-vous pourquoi les enfants vont à l'école ?

....

b. Savez-vous pourquoi les êtres humains marchent sur deux jambes ?

....

c. Savez-vous pourquoi les chats ont une queue ?

....

d. Savez-vous pourquoi les journaux sont en papier ?

....

e. Savez-vous pourquoi il pleut souvent en Angleterre ?

....

f. Savez-vous pourquoi la neige tombe en hiver ?

....

3. Quand un locuteur pense que la cause est connue de son interlocuteur, il utilise **puisque**. Par contre, quand il pense que la cause n'est pas connue de son interlocuteur il utilise **car**. Décidez dans chaque phrase si l'interlocuteur connaît la cause et, en fonction de votre analyse, complétez les petits dialogues suivants avec l'une ou l'autre expression de cause.

1
● Je vais faire des courses.
○ D'accord, mais n'achète pas beaucoup de choses .... nous partons en vacances vendredi !

2
● Je t'offre un café ?
○ Non merci, je ne bois plus de café .... ça me provoque des palpitations cardiaques.
■ À ce point-là !

3
● Qu'est-ce qu'on mange ce midi ?
○ Des spaghetti à la carbonara.
● Encore des pâtes !
○ .... ça te plaît pas, prépare ton repas toi-même !

4
● Il fait un soleil radieux ce matin et tu prends un parapluie ?
○ Oui, je prends un parapluie .... la météo a annoncé des orages en fin d'après-midi.

5
● J'aime bien cette couleur orange sur les murs. Et toi ?
○ Moi aussi, ça me plaît .... tu aimes.
● Tu es un amour !
○ Bien sûr !

6
● Ça te dit d'aller au cinéma demain soir ?
○ Désolée, mais je ne peux pas .... je suis déjà invitée chez des amis.

7
● Pourquoi ne faites-vous pas un voyage en France .... vous parlez et comprenez un peu le français maintenant.
○ Oui, c'est une bonne idée.

8
● Je ne tiens plus debout !
○ .... tu es si fatigué, va te coucher !

9
● Mais qu'est-ce que tu fais ? Ce n'est pas comme ça !
○ .... tu es si intelligent, fais-le !

4. Vous avez compris l'usage de **puisque** et de **car** ? Consultez le Mémento grammatical (page 133) pour vous en assurer puis complétez les phrases suivantes avec un articulateur de cause :

♦ Si vous considérez que l'explication fait partie de la culture générale et est connue de la majorité des gens, mettez **puisque**.

♦ Si vous pensez que l'explication est une information nouvelle, mettez **car**.

a Le chinois est une langue difficile à prononcer .... il y a des tons sur chaque syllabe.

b Les chats voient très bien la nuit .... leurs yeux captent la moindre lumière.

c On appelle la France « l'Hexagone » .... ses frontières dessinent cette figure géométrique.

d En Louisiane (USA) vous pourrez rencontrer des gens qui parlent français .... la Louisiane a été peuplée par des familles francophones venues du Canada au XVIIIe siècle.

e Le soleil se lève plus tôt à Tokyo qu'à Paris .... Tokyo est plus à l'Est.

5. **A.** Pensez à vos camarades de classe. Qui, dans la classe, comprend plus vite que tout le monde ? Qui est particulièrement sympa ? Qui prend bien les notes ? Et qui a beaucoup d'amis ? Quels sont les avantages d'avoir dans la classe des gens avec autant de qualités ? Complétez les phrases suivantes.

> Giuliana est tellement amusante qu'elle fait rire tout le monde (y compris la prof de math).
>
> Mariano a tellement de mémoire qu'il n'a jamais besoin de réviser pour les examens.

◆ .... est tellement amusant/e que ....

◆ .... a tellement de mémoire que ....

◆ .... comprend tout tellement vite que ....

◆ .... est tellement sympathique que ....

◆ .... a tellement d'amis que ....

◆ .... prend tellement bien les notes que ....

◆ .... parle tellement bien le français que ....

◆ .... a tellement d'imagination que ....

◆ .... est tellement intelligent/e que ....

◆ .... est tellement bon/ne en anglais que ....

◆ ....

◆ ....

◆ ....

B. Vous avez remarqué que **tellement** est employé dans toutes les phrases. Mais dans certaines phrases, **tellement** peut être remplacé par **si** et dans d'autres phrases, il peut être remplacé par **tant**. Vous savez dans quelles phrases ? Consultez le Mémento grammatical aux pages 132 et 133 et écrivez de nouveau ces phrases en remplaçant **tellement** par **si** ou bien par **tant**.

6. Complétez chaque phrase avec **car**, **alors** ou **pourtant**
en fonction de ce qui vous semble le plus adéquat.

	►CAR ►ALORS ►POURTANT	
Manuel n'est pas venu au cours		il a la grippe.
Il a fait très chaud cette nuit-là		je n'ai pas pu bien dormir.
Il n'y a pas de train		c'est la grève.
Le conducteur avait bu		la police l'a arrêté.
Il y avait une queue énorme pour acheter les entrées du concert de Björk,	*alors*	les organisateurs ont décidé de proposer deux concerts au lieu d'un seul.
Sandra n'a pas réussi l'examen		elle avait beaucoup étudié.
Il y a beaucoup trop de vent aujourd'hui		on ne pourra pas jouer au badminton.
Je n'ai pas réussi à télécharger cette chanson		Julio m'avait bien expliqué comment faire.
Natalia ne parle pas très bien le français		elle a vécu longtemps en France.
Le centre-ville était toujours embouteillé		La mairie a interdit la circulation aux voitures.

REMARQUE :

• **Tandis que** et **pendant que** sont, dans certains contextes, totalement équivalents : ils expriment la simultanéité de deux actions ou deux états. Mais si on veut insister sur le fait que ces deux actions ou ces deux états sont très différents, alors on emploie **tandis que**.

7. Complétez les phrases suivantes en vous appuyant sur vos connaissances.

◼ Le soleil se lève au Japon tandis qu'il se couche ....

◼ Tandis que les Chinois dorment ....

◼ Tandis que les Esquimaux ont froid, les ....

◼ C'est l'été en Argentine tandis que ....

◼ En France métropolitaine, il y a quatre saisons (le printemps, l'été, l'automne et l'hiver) tandis qu'aux Antilles ....

◼ Tandis que les Anglais dînent tôt (vers 18 h oo) ....

◼ Les chiens sont des animaux plutôt dociles tandis que ....

◼ Les chats ont horreur de l'eau tandis que ....

8. Le monde est plein d'inégalités. Faites des phrases avec **tandis que**. Vous pouvez vous
appuyer sur les données du tableau ci-dessous mais aussi sur ce que vous savez.

■ Tandis que dans les pays riches les enfants vont tous à l'école ....

■ Tandis que dans les pays développés on a facilement accès aux médicaments ....

■ Tandis que l'Union Européenne détruit chaque année des tonnes d'aliments ....

■ Tandis que les pays riches dépensent des milliards d'euros pour la construction d'armes ....

■ Tandis que ....

■ Tandis que ....

■ Tandis que ....

	EU, UE, Japon, Canada, Australie	Asie (sauf Japon), Afrique, Amérique latine
Population mondiale en 1998	15% (1,2 milliards)	85% (4,5 milliards)
Richesse mondiale en 1998	80%	20%
Espérance de vie à la naissance (1995)	Hommes : 76 ans · Femmes : 82 ans	Hommes : 64 ans · Femmes : 67 ans
Nutrition	Problème d'obésité croissant	150 millions d'enfants souffrent de malnutrition
Scolarisation	Scolarisation universelle	En 1998, 113 millions d'enfants ne sont pas scolarisés
Pauvreté (1999)	—	1,2 milliards de personnes vivent avec moins d'un dollar par jour
Dépenses de santé par personne et par an (2000)	2700 dollars	527 dollars

9. Lisez les phrases suivantes et dites si **lorsque** a la valeur de **à l'époque où**, **au moment où**, ou bien **chaque fois que**.

lorsque signifie...	à l'époque où	au moment où	chaque fois que
Paul quittera ses parents **lorsqu'** il aura trouvé un emploi.			
En été, **lorsque** la mer est calme, nous partons pêcher.			
Lorsque j'étais étudiante, j'allais au moins deux fois par semaine au cinéma.			
Mon interphone ne fonctionne plus. Alors, appelle-moi sur ton portable **lorsque** tu arrives.			
Allumer la télé est la première chose que Julien fait **lorsqu'**il rentre chez lui.			
J'aime beaucoup faire la sieste **lorsque** j'ai le temps.			
On apprend tout plus facilement **lorsqu'**on est jeune.			
J'étais en train de me doucher **lorsque** le téléphone a sonné.			

10. Complétez les phrases et analysez les formes verbales que vous avez utilisées.

▪ Il est resté à la maison parce qu'................................. malade.

▪ Il n'a pas pris de vacances afin de/d' .... de l'argent.

▪ Elle a dû faire ses études en six ans au lieu de cinq car elle .... une maladie assez grave.

▪ Je dois étudier beaucoup pour .... l'examen.

▪ Téléphonez-nous afin que nous .... à quelle heure votre train arrive.

▪ Ça nous a fait un choc terrible lorsque nous .... cette information à la radio.

▪ Je fais toujours les courses tandis que les enfants .... à l'école.

▪ Qui s'occupera de tes plantes pendant que tu .... en vacances ?

▪ Puisque je .... malade, je ne peux pas aller au cours.

▪ Il faut tout lui expliquer plusieurs fois pour qu'il ....

	INFINITIF	SUBJONCTIF	INDICATIF
afin de			
afin que			
pour			
pour que			
car			
parce que			
puisque			
pendant que			
tandis que			
lorsque			

11. Le saviez-vous ? Finissez chaque phrase de la colonne de gauche avec un élément de la colonne de droite.

En France, selon les règles de la bonne éducation, on ne doit pas parler **A**

⚪ *en observant des moisissures.*

Selon la légende, Archimède (287-212 av. J.-C.) a découvert le principe qui porte son nom **B**

⚪ *en sautant de plus en plus haut sur place.*

On peut déduire que la Terre est ronde **C**

⚪ *en imitant une fleur ou une feuille.*

Le colibri s'alimente **D**

⚪ *en regardant les étoiles.*

Certains insectes se protègent de leurs prédateurs **E**

⚪ *en nous piquant.*

Certaines fleurs attirent les insectes **F**

⚪ *en volant sur place.*

Un bon marin peut connaître sa position **G**

⚪ *en imitant leur apparence.*

C'est la femelle du moustique qui transmet la malaria **H**

⚪ *en observant un voilier qui s' éloigne à l' horizon.*

Dans la tradition massaï, les garçons séduisent les filles **I**

⚪ *en prenant un bain.*

Le microbiologiste Alexander Fleming a découvert la pénicilline par hasard **J**

⚪ *en mangeant.*

12. À votre avis, comment peut-on réaliser les choses suivantes ?

A. Comment peut-on apprendre une langue ?

■ En habitant un an dans le pays.

■ En allant en classe.

■ ...

D. Comment peut-on maigrir ?

■ ....

■ ....

■ ....

B. Comment peut-on arriver à être riche ?

■ ....

■ ....

■ ....

E. Comment peut-on devenir célèbre ?

■ ....

■ ....

■ ....

C. Comment peut-on voyager pas cher ?

■ ....

■ ....

■ ....

F. Comment peut-on rencontrer son acteur/son actrice préféré/e ?

■ ....

■ ....

■ ....

13. Lisez les dialogues suivants et indiquez dans le tableau ci-dessous si le gérondif exprime la simultanéité de deux actions, la manière, la cause ou la condition (voir Mémento grammatical, page 135).

A
● Tu sais que Jo m'a invité au mariage de sa fille !
○ Oui, je sais. Tu lui feras vraiment plaisir en acceptant son invitation.

B
● Mais tu boites !? Qu'est-ce que tu as ?
○ C'est rien, je suis tombée en courant pour attraper le bus.

C
● Comment tu t'es fait ça ?
○ Stupidement, en ouvrant une boîte de conserve avec un couteau.

D
● Qu'est-ce qu'il fume !
○ Oui, il fume même en mangeant.

E
● J'ai rencontré Philippe Leroux ce matin.
○ Oui, moi aussi, en faisant les courses.

F
● J'ai pas dormi. Je dois avoir l'air horrible avec ces poches sous les yeux !
○ C'est rien du tout et ça peut s'arranger facilement en te maquillant un peu.

G
● Tes parents sont rentrés ?
○ Oui, et ils étaient furieux en voyant l'état de la maison.

H
● Qu'est-ce qu'elle a ? Pourquoi elle fait cette tête ?
○ Tu l'as vexée en lui disant qu'elle ne comprenait jamais rien !

	SIMULTANÉITÉ	MANIÈRE	CAUSE	CONDITION
A en acceptant				
B en courant				
C en ouvrant				
D en mangeant				
E en faisant				
F en te maquillant				
G en voyant				
H en disant				

14. Lisez cette légende vietnamienne. Vous voyez les fragments en gras ? Pour que l'histoire soit un peu plus claire, essayez de les réécrire en utilisant les mots suivants.

- car
- en + participe présent
- lorsque
- pour que
- si ... que
- tandis que

La légende du sel

Vous ne savez pas pourquoi la mer est salée ? Eh bien voilà... Il était une fois deux frères très différents. Le plus jeune qui s'appelait Tam était très pauvre et sa vie était très dure. Il se levait tous les jours avant le soleil pour partir pêcher en mer. Mais, certains jours, **il pêchait peu de poissons et il ne pouvait pas bien nourrir ses six enfants.**

■ ....

....

Son frère **Daï faisait du commerce maritime et il était devenu riche.** Daï n'était pas très aimé au village, il était jaloux, menteur et voleur.

■ ....

....

Un jour, Tam a rencontré un personnage mystérieux qui lui a donné un moulin magique. **Il suffisait de dire « abracadabra » et le moulin faisait couler ce qu'on lui demandait.**

■ ....

....

Le soir même, Tam a demandé au moulin un bon repas pour lui et sa famille, puis des vêtements neufs et une plus grande maison. **Daï a vu la prospérité de Tam et de sa famille et il est devenu terriblement jaloux.**

■ ....

....

Il a demandé à Tam comment il avait obtenu tout cela et Tam, innocemment, lui a expliqué sa rencontre avec l'homme mystérieux. **Cette nuit-là, Tam et sa famille dormaient très tranquillement, Daï s'est introduit dans la maison sans faire de bruit et a volé le moulin magique.**

■ ....

....

Daï a emporté le moulin magique sur son bateau. Une fois en mer, il s'est rendu compte qu'il avait oublié d'emporter du sel. Alors il a demandé au moulin magique de lui donner du sel. **Mais Daï ne connaissait pas la formule magique pour arrêter le moulin ! Voilà pourquoi la mer aujourd'hui est salée.**

■ ....

15. A. Vous allez écouter quatre extraits de contes traditionnels. Vous savez de quels contes il s'agit ? Retrouvez-les dans la liste suivante.

Blanche-neige et les sept nains ■   La Belle au bois dormant ■   Le Petit Poucet ■   Cendrillon
■ Les 3 petits cochons ■   La Belle et la Bête ■   Le Petit Chaperon rouge ■   Pinocchio

B. Écoutez de nouveau ces extraits. À quel temps l'histoire est-elle racontée ? Notez les formes verbales que vous entendez dans le tableau suivant.

Le narrateur raconte au...	PRÉSENT	PASSÉ COMPOSÉ	PASSÉ SIMPLE
Extrait nº 1			
Extrait nº 2			
Extrait nº 3			
Extrait nº 4			

Parfois nous voulons nous exprimer et nous ne savons pas quelle est la forme correcte à employer, ou bien nous hésitons entre deux formes différentes. Si nous sommes en train de parler, nous ne pouvons pas nous arrêter pour consulter un dictionnaire ou bien une grammaire, par contre nous pouvons le faire quand nous sommes en train d'écrire. Nous pouvons aussi consulter une grammaire ou un dictionnaire après la conversation au cours de laquelle le doute a surgi.

16. Nous allons pratiquer ce type de consultations. Imaginez que vous avez un doute au moment de continuer les phrases suivantes. Vous pouvez trouver la solution à vos problèmes dans le Mémento grammatical du ***Livre de l'élève 2***.

- ● Excuse-moi, *je n' ai pas compris / je n' ai compris pas* **(a)**. Tu peux répéter, s'il te plaît ?
- ○ Oui, je disais…

- ● C'est quoi ça, un stylo ?
- ○ Non, pas du tout, c'est quelque chose *qui / que / dont* **(b)** sert à transporter des documents Word, des photos ou de la musique…

- ● Est-ce que tu as vu Marine ?
- ○ Non, *je vais la voir / la vais voir* **(c)** cet après-midi. Pourquoi ?
- ■ J'ai un service *à lui / la* **(d)** demander.

- ● Qu'est-ce que tu as fait samedi ?
- ○ *J' ai travaillé / je travaillais / j' avais travaillé* **(e)** toute la journée.

	Solution	Je l'ai trouvé à la page…
1		
2		
3		
4		
5		

17. Vous pouvez aussi essayer de trouver le sens des mots soulignés dans les phrases suivantes en consultant différents dictionnaires.

La consommation des **ménages** français a progressé de 4,2% sur un an.

Samedi, c'est le jour où je fais le **ménage** et les courses.

Prenez plus de repos, il faut **ménager** vos forces.

Mes parents ont **déménagé**. Ils habitent maintenant sur la Côte d'Azur.

Il **déménage** complètement, ce type !

STRATÉGIE

Une manière de continuer à progresser dans l'apprentissage du français est de consulter souvent, et de façon efficace, des grammaires et des dictionnaires. Un bon dictionnaire contient beaucoup d'informations sur des aspects grammaticaux et les usages de la langue. Est-ce que vous avez à la maison ou bien à la bibliothèque de votre école un bon dictionnaire avec lequel vous aimez travailler ?

Entraînons-nous au DELF

LE DELF B1. PRODUCTION ORALE (Expression d'un point de vue)

18. Après avoir lu le document ci-dessous, vous en dégagerez le thème et présenterez votre opinion sous la forme d'un petit exposé de trois minutes environ. N'oubliez pas de construire votre présentation (**introduction**, **développement** et **conclusion**).

LOUP. IL N'A PAS FINI DE FAIRE HURLER
De retour dans nos rudes contrées, le grand méchant loup a beau avoir laissé tomber les mères-grands pour les moutons, on continue de le trouver moyennement cool. Au louuuuup !

Compter les moutons donne des cauchemars aux bergers. En juillet, 140 brebis se sont précipitées dans un ravin [...] pour fuir des prédateurs. Deux jours plus tard, le ministre de l'Écologie présentait un plan d'action autorisant l'abattage de quatre loups cette année en cas d'attaques répétées sur des troupeaux. Le tir s'arrêtant à trois animaux s'il s'agit de femelles. [...] Jusqu'ici intouchable, [...] le loup ne pouvait être abattu légalement en France. Disparue de notre territoire depuis 1939 et réapparue dans les Alpes françaises en 1992 [...], l'espèce se rencontre aujourd'hui dans treize zones allant du parc du Mercantour jusqu'au Vercors [où] [...] vivent 39 loups [...].

« S'il n'attaque pas l'homme, le loup est un réel danger pour les troupeaux, explique Christophe Duchamp, spécialiste de l'animal. [...] Affamé, il préférera s'en prendre à un paisible troupeau plutôt qu'à un vif chamois [...]. »
Abattre quatre loups est-il une solution ? Pas vraiment, estiment les bergers. « Pour éviter d'autres attaques, il faudrait tout bonnement tuer tous les loups », juge Hugues Fanouillaire, [...] qui a perdu quatre chèvres [...].

Un mécontentement qu'on retrouve également du côté des écologistes, favorables au retour du loup, un animal qui atteste d'un bon équilibre de la nature. [...] « Nous sommes soulagés de savoir abandonné le projet initial d'abattre cinq à sept bêtes en 2005. En revanche, nous déplorons l'autorisation de tuer jusqu'à quatre loups [...]. »

« En France, la population du loup reste encore très fragile, souligne Jean-Marc Landry, spécialiste suisse de l'animal, qui travaille avec les éleveurs du canton du Valais depuis le retour de l'espèce dans cette région en 1995. [...] Il ne faut pas abattre n'importe quel loup, comme la femelle assurant la reproduction de la meute [...].

Si le loup n'est pas une espèce menacée de disparaître sur la planète, il n'en est pas de même de la variété vivant dans les Alpes, [...] différente de l'espèce évoluant au Canada [...].

Sa disparition serait un mauvais point pour le patrimoine biologique de notre pays. « Le loup améliore la biodiversité en ajoutant un maillon supplémentaire à la chaîne alimentaire, celui des grands prédateurs [...]. Ce carnivore peut, par exemple, limiter le nombre de chamois, dont la multiplication ces dernières années menace la régénération des forêts ».

Abattre quatre carnivores ne protégera ni entièrement les bergers du loup, ni le loup de l'homme. Éleveurs et écologistes n'ont donc pas fini de crier au loup [...]. Le carnivore va sûrement étendre son territoire vers le nord [...] durant les prochaines décennies.

D'après Kheira Bettayed, *Phosphore*, Septembre 2004, nº 279.

LE DELF B1. PRODUCTION ÉCRITE

19. Il vient de vous arriver une chose incroyable en rentrant chez vous (vous venez de rencontrer votre acteur/actrice préféré/e, vous avez assisté à un événement exceptionnel, etc.). Vous décidez d'envoyer un courriel à vos amis pour leur raconter ce qui s'est passé et dans quel état vous vous trouvez (160 à 180 mots).

Unité 9
JOUER, RÉVISER, GAGNER

1. Feuilletez le *Livre de l'élève 2* et cherchez deux activités qui vous ont plu, deux activités qui vous ont paru très utiles et deux autres qui vous ont amusé puis faites une phrase pour définir chacune d'elles.

L'ACTIVITÉ	M'A PLU	M'A PARU UTILE	M'A AMUSÉ	DÉFINITION
	X			
	X			
		X		
		X		
			X	
			X	

2. **A.** Répondez aux questions suivantes.

● Depuis combien de temps étudiez-vous le français ?

○ ....

● Il y a combien de temps que vous vivez dans cette ville ?

○ ....

● Depuis quand habitez-vous la même maison / le même

appartement ?

○ ....

● Depuis combien de temps avez-vous le permis de conduire ?

○ ....

● Depuis quand savez-vous faire du vélo ?

○ ....

● Quand finirez-vous votre cours de français ?

○ ....

● Quand partirez-vous en vacances ?

○ ....

B. Maintenant, formulez des questions semblables que vous pourrez éventuellement poser à un compagnon de classe ou à votre professeur.

> ● Depuis quand est-ce que vous enseignez le français ?

3. Écoutez les questions posées et choisissez la réplique qui convient.

1. ⓐ Vers 8 heures.
ⓑ Il y a un quart d'heure environ.

2. ⓐ Oui, ça fait 18 ans.
ⓑ Si, l'année dernière.

3. ⓐ Dans 15 jours.
ⓑ Je ne suis pas sûr. Samedi dernier, peut-être.

4. ⓐ Oui, j'adore ça.
ⓑ Si, bien sûr.

5. ⓐ En effet, il en a pris trois fois.
ⓑ Si, il en a pris trois fois.

6. ⓐ Non, depuis l'année dernière.
ⓑ En 2001.

7. ⓐ Pas du tout.
ⓑ Bien sûr.

8. ⓐ Si, elle habite là depuis longtemps.
ⓑ Pas vraiment, elle préfère la Sardegne¶.

9. ⓐ Pourquoi pas ?
ⓑ Si, bien sûr.

10. ⓐ Depuis que j'habite ici.
ⓑ Oui, à partir de l'année prochaine.

11. ⓐ Vers 13 heures.
ⓑ Oui, dans une heure.

12. ⓐ Pas du tout, il est américain.
ⓑ Si, il vient de Manchester.

4. **A.** Sophie Lorenzo répond à une enquête téléphonique.
Pouvez-vous déduire les questions de son interlocuteur ?

● ....

○ Oui, c'est moi.

● ....

○ D'accord, mais j'ai pas beaucoup de temps, vous savez.

● ....

○ Je vous écoute.

● ....

○ En juillet ou en août.

● ....

○ Entre 15 jours et un mois.

● ....

○ Oui, mais pas toujours.

● ....

○ Si, quelques jours à Noël.

● ....

○ Environ une semaine.

● ....

○ Pas souvent. Je préfère les plages du côté Atlantique.

● ....

○ En effet, il y a trop de monde et souvent elles sont sales.

● ....

○ Oui bien sûr. Il faudrait les nettoyer plus souvent, mettre
plus de poubelles et aussi installer des services comme...

B. Maintenant, écoutez la conversation téléphonique et vérifiez vos réponses.

5. D'après les réponses ci-dessous, imaginez comment a été formulée
la proposition (la première réplique) et la deuxième proposition (la troisième réplique).

> ● On prend trois bouteilles chez Patrice ?
> ○ Trois bouteilles ? C'est exagéré non ?
> ■ Bon, alors on en prend deux ?

● .... ?

○ Si, mais je préfère le matin ?

■ .... ?

● .... ?

○ Non parce que je n'aime pas ça.

■ .... ?

● .... ?

○ D'accord, mais Lucas n'est pas libre.

■ .... ?

● .... ?

○ Je ne pourrai pas cette semaine.

■ .... ?

6. Essayez de trouver les 22 mots de vocabulaire qui se cachent dans ce cherche-mot (horizontal : gauche/droite ou droite/gauche ; vertical : haut/bas ou bas/haut, et diagonal). Tous ces mots sont dans l'Unité 9 du *Livre de l'élève 2*. Il n'y a aucun verbe conjugué. Attention ! Vous devez ajouter les accents, les apostrophes et les traits d'unions quand c'est nécessaire.

D	E	P	U	I	S	J	E	U	F	E	T	E	A
O	B	R	E	N	A	L	I	B	A	W	D	S	B
U	V	I	S	I	B	S	A	B	L	E	G	E	S
R	S	S	A	N	L	T	P	R	Z	Q	J	U	O
Q	R	O	X	M	I	E	A	O	C	F	K	Q	L
C	U	N	Q	U	E	B	E	C	O	I	S	I	N
O	P	I	G	D	R	Y	S	H	V	D	L	N	M
T	X	G	Z	N	B	I	D	E	N	E	E	I	E
E	F	E	B	E	N	O	G	T	R	N	T	T	N
B	I	Z	A	R	R	E	M	M	F	T	U	R	T
A	C	V	C	E	B	H	J	A	S	I	A	A	P
C	H	Q	T	F	L	A	C	O	N	T	E	M	A
E	E	M	N	E	P	U	R	T	N	E	B	R	S
E	A	J	L	R	B	M	I	M	E	C	U	I	O

7. Madame Bertin a trois fils âgés respectivement de 14, 10 et 7 ans. Elle a préparé une liste de ce qu'elle veut qu'ils fassent quand ils rentrent de l'école. Écrivez ce qu'elle va leur dire.

Nathanaël :
- faire les devoirs
- passer l'aspirateur dans les chambres
- mettre la table
- descendre la poubelle

Benjamin :
- faire les devoirs
- nettoyer la cuisine après le goûter
- sortir le chien

Rémy :
- lire un chapitre du livre de lecture
- ranger sa chambre
- donner à manger au chat

● Nathan, quand tu rentres de l'école, tu fais tes devoirs, puis passe l'aspirateur...

....
....
....
....
....
....
....

8. **A.** Que pensez-vous que ces différents personnages vont souhaiter.

> ▸ Un entraîneur à son équipe qui va jouer un match important.
>
> ▸ Il souhaite qu'ils fassent un très beau match et qu'ils gagnent bien sûr.

▸ Une mère à son fils qui se marie.

▸ ....

▸ Un professeur à ses élèves avant l'examen de fin d'année.

▸ ....

▸ Un père à son fils le premier jour de l'école.

▸ ....

▸ Une grand-mère qui offre un billet de loterie à sa petite-fille.

▸ ....

▸ Un metteur en scène à ses acteurs le jour de la première.

▸ ....

B. Et vous, que souhaitez-vous...

> ▸ ...à votre équipe favorite
> ▸ Je souhaite qu'elle gagne.

▸ ...à quelqu'un de votre entourage qui se marie.

▸ ....

▸ ...à un/e bon/ne ami/e avant un examen.

▸ ....

▸ ...à un enfant le premier jour de l'école.

▸ ....

▸ ...à votre grand-mère à qui vous offrez un billet de loterie.

▸ ....

▸ ...à des amis qui entrent en scène pour faire un spectacle.

▸ ....

▸ ...

▸ ....

▸ ...

▸ ....

9. **A.** Écoutez deux amis organiser leurs vacances et prenez des notes de ce que chacun dit.

B. Maintenant, complétez les phrases à partir de vos notes.

RENAUD	SONIA
veut que...	considère que...
considère que.....................................	exige que..
souhaite que.......................................	souhaite que..

10. Voici la lettre qu'a laissée Gisèle à ses colocataires avant son départ. Imaginez les questions que ces dernières se posent après l'avoir lue.

Villeneuve, le 2 septembre

Salut les filles,

Désolée de partir sans avoir pu parler avec vous, mais comme vous étiez en vacances...

J'ai décidé de déménager car pendant que vous bronziez sur la plage j'ai rencontré la personne avec qui je pense que je vais partager ma vie. Je suis très heureuse et je vous promets de vous téléphoner très bientôt pour régler les derniers détails concernant l'appartement et vous présenter Stéphane. Vous allez voir, il est à croquer.

Je vous en dis pas plus.

Je vous embrasse.

Gisèle

● Est-ce qu'elle n'avait pas notre numéro de portable ?

....

....

....

....

....

....

....

....

....

....

....

....

11. Complétez les bulles et retrouvez ce que disent les personnages des dessins.

12. Voici neuf mots clefs correspondant aux neuf unités du *Livre de l'élève 2*. Pour chacun d'eux faites une liste de tout ce qui vous paraît être en relation avec ce mot initial, mots de la même famille, expressions relatives à ce thème, etc.

Unité 1 : LOCATAIRE ....

Unité 2 : WEEK-END ....

Unité 3 : COUPABLE ....

Unité 4 : PUBLICITÉ ....

Unité 5 : EMPLOI ....

Unité 6 : PROGRAMME ....

Unité 7 : MON HISTOIRE / MES EXPÉRIENCES ....

Unité 8 : CONTE ....

Unité 9 : FRANCOPHONIE ....

13. **A.** Auxquelles de ces phrases pourriez-vous éventuellement ajouter « **n'est-ce pas ?** ».

Ⓐ Est-ce que vous aimez la musique .... ?

Ⓑ Vous aimez la musique ....

Ⓒ Quand est-ce que tu pars en vacances .... ?

Ⓓ Vous partez demain ....

Ⓔ Dans quelques jours nous partirons en voyage ....

Ⓕ Vous ne voulez pas un autre café ....

B. Écrivez la réponse que l'on pourrait donner aux questions telles qu'elles sont proposées, puis aux questions auxquelles vous avez ajouté « **n'est-ce pas ?** ».

Regardez bien le Mémento grammatical de l'Unité 9, page 138. Si vous voulez formuler une demande de confirmation, c'est-à-dire, si vous attendez une réponse affirmative à votre question, vous pouvez utiliser en fin de phrase des particules telles que : **n'est-ce pas ?, non ?**, ou dans la langue plus familière **hein**. N'oubliez pas qu'à l'écrit vous devez transcrire le point d'interrogation **?** .

 14. Écoutez et dites s'il s'agit d'une demande de confirmation ou d'une simple question.

	QUESTION	DEMANDE DE CONFIRMATION
1		
2		
3		
4		
5		

Mais vous pouvez aussi ne pas utiliser de particule à la fin de la phrase. Dans ce cas, il faut savoir distinguer une affirmation (positive ou négative) d'une question et d'une demande de confirmation.

1. Une proposition est indiquée par une chute mélodique sur la dernière syllabe.

Ils partent demain matin.

2. Une question est indiquée par une montée mélodique sur la dernière syllabe.

Ils partent demain matin ?

3. La demande de confirmation est indiquée par une montée (interrogation) puis une chute (affirmation).

Ils partent demain matin, non ?

15. Écoutez et dites si ces phrases sont une question, une affirmation ou une confirmation.

	PROPOSITION	QUESTION	D. CONFIRMATION	TRANSCRIPTION
1				
2				
3				
4				
5				
6				
7				
8				
9				

Vos stratégies pour mieux apprendre

16. Dans l'Unité 9 du *Livre de l'élève 2* vous avez lu des phrases telles que :

« Il vous faut un dé, un pion pour chaque groupe... » (p. 87)

« Chaque groupe lance son dé et effectue les épreuves. » (p. 87)

« Ils veulent qu'on leur parle français et certains aimeraient que le Québec soit indépendant » (p. 89)

« — Vous connaissez le Québec ? »
« — En effet, je l'ai visité il y a 2 ans » (p. 90)

« Laquelle de ces deux îles vous attire le plus ? » (p. 94)

« Plus de la moitié de la récolte est destinée aux distilleries pour la fabrication de rhums. » (p. 94)

Est-ce qu'il y a des mots que vous ne connaissiez pas et que vous avez appris dans les phrases ci-dessus ? Écrivez-en quelques-uns et répondez pour chacun d'eux aux questions suivantes.

1. Pensez-vous que ce mot a plus d'une signification ? Si oui, les connaissez-vous ?

2. Pourriez-vous traduire et/ou expliquer ces différentes significations dans votre langue ?

3. Connaissez-vous d'autres mots de la même famille ?
Par exemple : **Récolte** (nom) / **récolter** (verbe)

4. À part sa signification, ce mot a-t-il une particularité ?
Par exemple : **Deux** se prononce comme **de**.

5. Est-ce qu'il y a une relation avec des mots semblables dans votre langue (même forme, même signification, même forme mais signification différente).

6. Savez-vous si c'est un mot appartenant à la langue orale ou écrite ou si on l'utilise indifféremment dans les deux cas ?

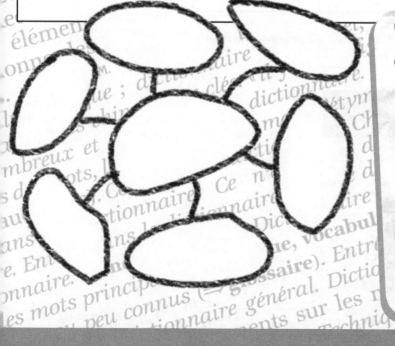

STRATÉGIE

Comme vous le voyez, apprendre un mot, c'est beaucoup plus que connaître sa signification.

Pour mémoriser les mots nouveaux, il faut avoir recours à quelques stratégies. Chacun doit chercher ses propres trucs : faire des listes de mots, essayer de les utiliser le plus tôt possible, confectionner un petit dictionnaire personnel, écrire les mots avec un exemple clair, les mettre en relation avec quelque chose que l'on connaît déjà, etc.

Entraînons-nous au DELF

Tout au long de ce **Cahier d'exercices,** vous avez trouvé des conseils et des exercices d'entraînement au DELF B1.
Nous avons voulu respecter au plus près les descripteurs du DELF B1 proposés par le CIEP et que nous reprenons ci-dessous.

Ces descripteurs s'inscrivent dans le dispositif DELF / DALF (en vigueur depuis le 1er septembre 2005) qui comprend six diplômes indépendants qui prennent en compte le *Cadre européen commun de référence pour les langues* :

Utilisateur élémentaire	DELF A1	ROND-POINT 1
	DELF A2	
Utilisateur indépendant	DELF B1	ROND-POINT 2
	DELF B2	ROND-POINT 3
Utilisateur expérimenté	DALF C1	
	DALF C2	

Nature des épreuves	Durée	Note sur
Préparation au DELF B1 **(entre 300 et 400 heures d'apprentissage*)**		
Compréhension de l'oral, CO (20 min) Réponse à des questionnaires de compréhension portant sur 3 ou 4 très courts documents enregistrés ayant trait à des situations de la vie quotidienne. (2 écoutes) /25		
Compréhension des écrits, CE Réponse à des questionnaires de compréhension portant sur deux documents écrits : - dégager des informations utiles par rapport à une tâche donnée, - analyser le contenu d'un document général. /25		
Production écrite, PE Expression d'une attitude personnelle sur un thème général (essai, courrier, article, etc.) /25		
Production orale, PO Épreuve en 3 parties : - entretien dirigé - exercice en interaction - expression d'un point de vue à partir d'un document /25		

Seuil de réussite pour obtenir le diplôme : 50/100
Note minimale requise par épreuve : 5/25
Durée totale des épreuves collectives : 1h20

Note totale : /100
* information à titre indicatif, chaque apprenant ayant un rythme différent.

TABLEAU RÉCAPITULATIF					
	B1				
Unité	CO	CE	PE	PO	Pages
1					16-17
2					25-27
3					40-41
4					54
5					65-66
6					74-75
7					88-89
8					99

Auto-évaluation

1. Nous sommes le mercredi 8 décembre 2004 et vous devez raconter ce qui s'est passé le jour indiqué au début de chaque phrase (Attention aux modifications des temps des verbes !). Vous n'oublierez pas d'introduire des expressions pour vous situer dans le temps (vous ne pouvez pas utiliser deux fois la même).

> 22/11/04 : Le candidat de l'opposition conteste les résultats des dernières élections qui se sont tenues hier
>
> *Il y a deux semaines, le candidat de l'opposition a contesté les résultats des élections qui s'étaient tenues la veille.*

a. *07/12/04* : Les supporters de Monaco descendent dans les rues car leur équipe a gagné le match de classification contre le club russe.

b. *04/12/04* : La police arrête un important chef de bande dans la banlieue parisienne. Mercredi, c'est un de ses complices qu'ils ont interpellé à la sortie d'un bar.

c. *29/11/04* : Des scientifiques européens déclarent qu'ils ont trouvé le chaînon manquant de l'évolution de l'espèce humaine.

d. *13/09/04* : Une étude révèle que les Français préfèrent passer l'été près de chez eux.

e. *03/12/04* : Le célèbre réalisateur présente au Festival du film européen le dernier film de la saga qu'il a commencée en 1987.

f. *06/12/04* : Les travailleurs de l'usine d'appareils électroménagers se mettent en grève comme ils l'ont annoncé vendredi.

g. *08/10/04* : Le jury du tribunal reconnaît l'innocence du jeune homme.

2. Observez les informations ci-dessus, sélectionnez-en quatre puis transformez-les en titres de presse. Vous écrirez ces titres à la voix passive.

3. À partir d'un des quatre titres, choisissez une information et racontez-la brièvement au passé.

....
....
....
....
....
....

4. Complétez les phrases avec **car**, **pourtant**, **afin que**, **afin de**, **tandis que**.

a. Madame Dupont est très fatiguée, ... elle travaille.

b. Le samedi matin, les Dupont sont très organisés et partagent les tâches : Monsieur Dupont
fait les courses .... Madame Dupont fait le ménage.

c. D'habitude Madame Dupont fait la cuisine mais aujourd'hui c'est M. Dupont qui cuisine
.... sa femme a la grippe et elle est au lit.

d. Demain, les Dupont partent en vacances et Monsieur Dupont veut partir très tôt
.... éviter les embouteillages. Mais, avant de partir,
il y a beaucoup de choses à faire : le ménage, les valises etc. et Madame Dupont se
dépêche .... tout soit prêt.

5. Faites la correspondance entre les explications de la colonne à gauche et les expressions
ci-dessous.

	pourtant	par conséquent	tellement ... que	afin de	car	lorsque	puisque	tandis que
Peut être remplacé par **parce que**								
Introduit la conséquence								
Indique que 2 actions ou 2 états distincts ont lieu en même temps.								
Signifie **quand**								
Introduit un objectif, un but à atteindre								
Quand quelque chose nous semble paradoxal								

6. **A.** Répondez à ces questions.

Depuis quand vivez-vous dans cette ville ?
....

Dans combien de temps pensez-vous terminer votre apprentissage du français ?
....

Ça fait longtemps que vous étudiez/travaillez ?
....

B. Maintenant, écrivez une série de questions pour votre professeur et vos camarades
de classe pour savoir depuis combien de temps :
♦ il/elle habite ici
♦ enseigne dans cette école
♦ travaille
♦ étudie le français
♦ etc.
en utilisant **depuis, il y a, ça fait que** et **dans**.

7. Complétez ce texte avec **il y a, ça fait, depuis** ou **dans**.

A. (*nom de la personne à la tête du pays*) gouverne mon pays .... (*date*).
B. .... (*nombre d'années à la tête du pays*), il/elle est chef d'État.
C. .... (*nombre d'années*), il y aura des élections.
D. .... quelques mois, je crois qu'une nouvelle loi a été votée sur
.... (*thème de cette loi*).

8. Complétez les phrases pour exprimer vos désirs par rapport aux thèmes suivants.

L'écologie
Je voudrais que .... et que les gens
....

La télévision
Je voudrais que ....
et que les programmes ....

L'éducation
Je voudrais que .... et que
les professeurs ....

L'étude du français
Je voudrais que...
et que notre école ....

 Évaluez comment vous utilisez les notions suivantes. Révisez ensuite les aspects qui vous posent des difficultés.

JE SAIS UTILISER :	PEU	ASSEZ BIEN	BIEN	TRÈS BIEN
l'imparfait, le plus-que-parfait et le passé composé dans un récit				
quelques marqueurs temporels				
la forme passive				
le gérondif				
pour que + subjonctif				
afin de + indicatif				
si/tellement ... que				
lorsque, pendant que, tandis que, pourtant, puisque				
le subjonctif après les verbes qui expriment un désir ou une volonté				
si à la forme interrogative/négative				
depuis et **il y a**				

BILAN AUTO-ÉVALUATION

MAINTENANT JE SAIS :	PEU	ASSEZ BIEN	BIEN	TRÈS BIEN
raconter en distinguant les différents temps du récit				
décrire une atmosphère, une ambiance au passé				
partir d'un souvenir pour rédiger une anecdote et la raconter				
raconter et décrire une histoire ou un conte				
formuler des questions et y répondre				